Fanny Chiarello

Fanny Chiarello naît en pleine rentrée littéraire de 1974. Puis, un DEA de lettres modernes la conduit logiquement à vendre des alarmes par téléphone. Et ce n'est qu'un début. En 2000, elle publie son premier roman, *Si encore l'amour durait, je dis pas* – sélection officielle du prix de Flore, et en 2001, paraît *Tu vas me faire mourir, mon lapin* – sélection inconditionnelle des Éditions Page à Page.

FANNY CHIARELLO

SI ENCORE L'AMOUR DURAIT, JE DIS PAS

PAGE à PAGE Éditions

ISBN 2-266-12116-6

Maman, Papa,

Bien sûr, je compte sur vous
pour faire la distinction
entre auteur et narrateur.
D'ailleurs j'ai pas mal
changé depuis.

Je vous laisse m'appeler...

Bad girl, drunk by six
Kissing someone else's lips
Smoke too many cigarettes today
I'm not happy when I act this way.

Madonna (Erotica)

I - PENSONS AVEC NOS CULS

(Planteur et porto)

Le sac plastique glisse sensuellement aux chevilles de la bouteille ; moi seule éprouvc une certaine déception à la découvrir si bien roulée. Du porto. Myriam avait annoncé du vermouth ; mieux que ça : elle a dit *J'aimerais du Martini*, ce qui sous-entendait de l'authentique, du rosso de chez rosso. Mais bon, va pour le porto, plus de courbes moins de saveurs mais le même 16 % vol. que le vermouth, et pour nous consoler pensons qu'il aurait manqué le citron et les glaçons et que ç'aurait été une injure au vermouth, un sacrilège si Myriam avait tenu parole, je veux dire si elle n'avait pas mystérieusement changé d'avis au rayon apéro, nous aurions profané l'esprit du vermouth comme des cochons. Après tout, c'est sa promotion que Myriam arrose ; il est bien naturel qu'elle le fête selon son cœur, et s'il va au porto allons-y aussi. On ne se refait pas pour une promotion, surtout dans un boulot qui consiste à vendre des adoucisseurs d'eau par téléphone — au mieux on offre une heure de répit aux foyers, un repas en paix aux salariés pressés qui sont notre vivier, et on trinque.

Midi et demi, je me suis arrêtée au troisième L*** de Wattrelos ; le quatrième, prénommé Alain, prendra son café tranquille ce midi. Un sucre, pas de téléprospectrice. Je le récupérerai à la sortie du bureau dès dix-sept heures trente. Un répit OK mais pas de quartier. Je saurai s'il a du calcaire dans la tuyauterie. Tôt ou tard il crachera le morceau. S'il croit que parce qu'il s'appelle Alain L*** à midi et demi je l'aurai oublié ce soir, s'il croit pouvoir filer entre les lignes de l'annuaire pendant que je cuve la promotion de ma responsable, il divague le pauvre chou.

Sur la table, près du distributeur de café thé chocolat potage, fabuleuses et incongrues comme deux pâquerettes sur un terrain de foot, les bouteilles de porto et de planteur. Et Seigneur, de l'Oasis. Myriam sert son équipe, je tends mon gobelet en plastique aux dionysies de la téléprospection, je me permets même de réclamer une ration plus décente. On n'est pas au café ici, les quatre centilitres on leur ricane à la dosette, on les noie dans leur propre mesquinerie. Ras bord, voilà qui s'appelle du savoir-vivre ; maintenant je peux lever mon gobelet à la promotion de Myriam. Michel a choisi le planteur, Myriam et Patricia aussi ; Naïma et Arnaud ont le toupet de trinquer à l'Oasis ; à ne pas croire. Arnaud passe encore — le plus jeune du groupe, vit chez ses parents et considère son AX comme son autonomie —, mais Naïma quand même ; elle ne nous méprisait pas si ouvertement aux pots précédents. Elle veut peut-être avilir notre image aux yeux du petit nouveau ? Genre *ici on baigne dans l'amidon, attention engloutissement*. On ne peut décidément pas se fier à un étudiant. L'étudiant est à la société ce que le plastron est au clown. Moi je me fais un coussin de mon DEA sur ma chaise de télépro. On prétendra que j'ai pété le dernier câble avant le culte de l'entreprise mais on se gourera fabuleusement ; je me fous pas mal de mon entreprise, des adoucisseurs d'eau et tout, mais je suis fière d'avoir ma place auprès de gens aussi différents que Michel l'homme à femmes et à copains, Patricia la mère de famille, Myriam Madame Qui Porte La Culotte, ou Naïma la secrète qui laisse soupçonner sa vraie nature au compte-gouttes quand elle ne joue pas les étudiantes qui ne font la fête qu'entre étudiants, avec son Oasis à la con. Arnaud : doit faire ses preuves.

Et puis il y a Bérénice, ma meilleure amie du boulot et l'une de mes meilleures amies aussi dans le monde extratéléphonique. Elle boit de l'Oasis mais c'est différent pour elle parce que sa sobriété participe à sa personnalité ; je ne la considère pas comme une trahison, ni même comme une abstention, mais comme une affirmation de son être-bizarre. Ne pas boire, pas fumer, faire du sport et manger bio ne font pas un phénomène, mais quand ils sanctionnent la victoire sur un métabolisme plus capricieux qu'une boussole de bazar dans une aciérie, une victoire solitaire emportée nerf à nerf au fil d'années frustrées de tout ce qui fait la vie, alors Arthur Penn peut repasser avec son *Miracle Worker* : Bérénice s'est tirée de plus inextricable que de la houdinienne épreuve emportée par Helen Keller sur la cécité, la surdité et le mutisme, et toute seule encore ; elle, elle péchait plutôt par excès, avec en plus des spectres lumineux et des ondes sonores qui l'assaillaient comme tout le monde, mille flèches de magnétisme animal (si j'ai bien pigé le topo) qui prenaient son plexus pour une cible et sa cervelle pour le gros lot. Et qu'aucune flèche n'ait décroché le gros lot, voilà ce qui me fait dire que Bérénice est un phénomène, exempté d'alcool, de tabagie et de quelques autres éléments que je réunis traditionnellement sous l'étiquette de « savoir-vivre ». Va pour l'Oasis.

— De toute façon elle le sait maintenant : elle me fait chier, je me barre des deux, trois mois. C'est les flics qui me retrouvent généralement, mais bon j'ai cinquante balais, ils vont pas me ramener à la maison, alors ils l'appellent et ils disent *ben ça y est, on l'a retrouvé*... Qu'est-ce que tu veux qu'ils fassent d'autre ? Michel pousse son grand rire profond à la Sinatra.

Pas trace ici d'une féministe pour trouver à y redire, d'aillcurs ici les femmes ne s'encombrent guère de scrupules dans leur vie privée ; les sourires flottent comme des nénuphars en plastique, les gobelets flottent aussi, entre poitrines et mentons, relents de porto, de rhum et (Seigneur) d'Oasis, quelques miettes de chips mollissent entre des molaires. Mon sourire à moi est du dernier radieux, les chips s'y dorent puis des déferlantes de porto les emportent ; je sonde le regard serein de Michel-cinquante-balais le fuyard conjugal aux centaines de maîtresses et autres bons coups sans même cette digne étiquette de « maîtresses » ; il n'est pas assez hypocrite pour que je prenne la peine de l'être moi non plus et je le regarde tel que son franc-parler m'y invite, avec une complicité déplacée, moi qui ai la moitié de son âge, le dixième de ses maîtresses à mon actif, et qui en plus suis en jupette, comme les Anciens et les Écossais.

— Moi, je déclare (et il ne manque plus que les flashes des photographes pour parachever la solennité du communiqué officiel), je viens de me rendre compte que je suis définitivement infoutue d'aimer la même personne plus de trois mois. Toujours la même histoire : je trouve enfin le grand amour, et trois mois après grand max je craque pour une jolie petite gueule ; ça s'envenime, je tombe amoureuse, je dérape, *game over*. Chaque fois j'en viens à quitter quelqu'un qui m'aime pour quelqu'un qui ne m'aime pas, et je ne saurais même pas dire si je ressens un truc authentique pour X ou Y. Trop de nœuds dans le cerveau, et plus assez de neurones pour démêler ; reste l'alcool : un peu plus de nœuds et un peu moins de neurones. L'avantage, c'est que je ne souffre jamais. Je ne prends pas de décisions, je me laisse glisser, et quand mon cul s'affaisse, plop, au bas du toboggan, je me contente de l'épousseter et de le traîner jusqu'au prochain toboggan. Je me dis toujours *Fanny, l'essentiel, c'est de rester solidaire de son cul.*

Je parle avec un peu moins de pudeur à mesure des pots, et dire que lundi soir nous fêterons mon anniversaire, et le plus tôt possible n'importe quoi — chouette d'avoir une responsable qui fait le tour de son équipe pour recenser les prétextes à la fête, et qui pour nous simplifier la tâche estime très justement que tout peut en fournir, des prétextes à la fête. J'ai vraiment postulé dans la bonne boîte. Et voilà, de pots en pauses nous nous exposons tous plus ou moins, et plutôt plus. Ici nous avons le plafond à la hauteur conforme, et pas d'araignée en vue ; seulement, nous marchons au plafond.

Bientôt Myriam, Naïma, Arnaud, Patricia et Bérénice à leur tour nous livrent leur équation personnelle *X cul + Y cœur = Moi tel(le) que vous ne me connaissiez pas*, pareil que Michel et moi. L'apéro s'étire. Nous débordons bientôt de deux heures nos horaires ordinaires : il est quinze heures, à dix-sept heures trente nous reprenons nos téléphones, juste le temps de dessoûler chacun de son côté sous une douche glacée. Michel me dépose devant chez moi. Dans cinq jours, ce sera le chez-moi de quelqu'un d'autre. Je ris un peu trop fort et un peu trop toute seule en fourrant ma clé dans la serrure, surtout que la porte est déjà grande ouverte ; quand je m'en aperçois je rigole un peu plus fort un peu plus toute seule ; j'entre dans la porte ; je rectifie le tir ; j'entre dans mon appartement.

II - AU REVOIR LES MEUBLES
(Desperados)

Mon ex deuxième-cran quitte un domicile conjugal de quatre ans (moins les fausses ruptures, les trahisons, mes coups de cœur et le préavis de trois mois qu'on aurait toutes les deux volontiers brûlé comme une mèche de dynamite au mépris des dégâts). Elle me dit que je suis ivre, comme si je ne m'en étais pas aperçue ou que l'apparition exceptionnelle de sa mère et de son frère — en exclusivité depuis Châteauroux — devait me purger le sang au quart de tour. Bien sûr, j'ai joué le rôle du monstre dans cette histoire, mais le mot *Fin* a traversé notre écran voilà plus de six mois maintenant, et depuis le générique de Florence s'est augmenté d'une pléthore de déceptions auxquelles je suis aussi étrangère que Tarass Boulba l'est à la guerre du Vietnam. Pour une raison que j'ai renoncé à élucider les filles que je quitte attendent toujours un temps fou avant d'en avertir leur famille ; on me trouvera peut-être parano mais ça ne me rassure pas. C'est comme si elles voulaient me préserver par un ultime, sublime sacrifice. Comme si j'étais censée craindre des représailles. Mais mon crime est inscrit dans mes gènes, mon inconstance chronique ne m'amuse pas plus que mes victimes : est-ce qu'on châtie une nature ingrate ? J'oserais suggérer que cette tâche n'incombe qu'à Dieu, surtout que David, le frère de Florence, ne partage pas précisément ma carence musculaire.

La sale bête m'a regardée de haut pendant quatre ans, son dédain me ressassait *Tu ne vaux pas le petit ongle de ma sœur* avec l'impassibilité de France Telecom quand le numéro que vous avez composé n'est pas attribué — OK, France, j'ai capté —, toutes mes tentatives de rapprochement avec le beau-frère ont ainsi ricoché sur son mépris, et parce que j'ai enfin rendu à sa précieuse sœur la liberté de trouver une fille répondant aux Normes Frangines de Conformité, je devrais porter le menton sur le thorax, à la lépreuse ? Faut savoir ce qu'on veut.

La mère, c'est encore une autre blague. La voilà qui débarque avec un regard assassin après vingt-sept ans de désertion — je veux dire, pendant quatre ans je fais les frais de son absentéisme, je subis les névroses qu'il a engendrées dans l'inconscient filial, et le jour où à mon tour je prends la tangente, elle m'envoie les Érinyes. Gonflée.

Et par là-dessus, Florence qui me fait des airs à sortir les sels parce que je ne rase pas les murs à quatre pattes la tête entre les cuisses mais que je me comporte comme j'ai le droit de le faire, c'est-à-dire comme chez moi au retour du boulot et disposée à décompresser. Que je rentre du boulot titubante et hilare ne regarde que moi et j'estime ne pas avoir de comptes à rendre sur ce point, surtout à une RMIste. De fait, je sors à peine de ma centrale téléphonique

que je saute sur mon combiné personnel, et en trois secondes, hop Céline, mon ex premier-cran au bout du fil — notre rupture ne date officiellement que de huit jours, mais je l'avais consommée depuis le mardi d'avant déjà, quelle blague.

— Ouais, c'est Fanny. Tu fais quoi, là ? je demande.

La mère et le frangin de Florence passent ruisselants de sueur avec un divan entre eux — j'ai envie de pouffer parce que David semble accoucher sa propre mère d'un frère monstrueux, gros tas marron et beige, tacheté et convertible. Ils me regardent tous les deux (ou trois) comme si j'avais oublié de retirer la tête de mon cul au réveil ce matin.

— Au Cybercafé ? OK, je vous rejoins d'ici vingt minutes : Florence me prend la tête.

La mère et le frangin n'ont plus de pupilles, leurs yeux comme deux œufs sur le plat sans jaune, mais le monstre convertible n'a pas perdu une tache, ni beige ni marron. Je raccroche.

— Ouais, je balance à Florence Deux-Crans, demain soir je fête mon anniversaire ici. Tu peux venir, si d'ici là t'en as marre d'être trop chiante. Pareil pour vous, j'ajoute avec un seigneurial coup de menton vers la mère, le frère et le monstre tacheté. Je me sens vachement sociable pour le coup.

La température a monté, ou c'est moi ? Je me change au beau milieu de la pièce, elle n'a jamais semblé si grande. Curieux. Mais oui, quelle abrutie : les meubles, bien sûr, ils s'en vont à l'autre bout de Lille dans une camionnette immatriculée berrichon, sur des bras berrichons… Au revoir, les meubles. Rien ici ne m'appartient, que du papier et des bandes magnétiques. Je suis libre comme un moustique à longues pattes au rayon luminaire. Je n'ai pas besoin de bras berrichons pour me déplacer.

Je ne loupe pas une surface réfléchissante, vitrine, abribus, fenêtre, pub sous verre, vitre de camionnette (pas celles des voitures, d'une convexité vexatoire); je me scrute sous tous les angles, je m'épie, je chasse mon image glissant sur les surfaces réfléchissantes, presque subliminales à force de fugacité, et je tâche de trouver grâce à mes propres yeux; je traque les vitres comme s'il ne tenait qu'à elles de me renvoyer l'image d'Audrey Hepburn; un peu de volonté, les vitres, et je serai transfigurée. Allez quoi. Sales garces avec vos effets d'optique parfaitement puérils, vous espérez me faire croire que je suis cette chose informe? Alors que je me sens tellement en phase avec le *Cute'n pretty* que l'orchestre de Hank Mobley me trompette dans le walkman, merde, en phase avec le sublime... Cherchez l'imposture. Quel rapport entre ce bonhomme-bâton mal proportionné qui tente de camoufler sa brioche à vermouth dans un bermuda baggy et moi qui sens le jazz couler dans mes veines, entre ce tas à problèmes cutanés et moi qui suis irradiée par la beauté désespérément dansante de ce chorus? Malgré votre conspiration, j'arrive au Cybercafé du pas vif et dansant des gens bien dans leur peau — je *suis* bien dans ma peau, tant que je ne vois pas de quelle mesquine manière vous la déformez; et avec ça le sourire de la connerie heureuse comme une corde à linge ployant entre mes oreilles sous le poids de mes dents.

Je me plante devant la première table du café, tout contre la vitre. Il y a là Céline mon ex, Nadia sa meilleure amie, et Caro l'ex de Nadia. Soudain je me demande pourquoi elles ont décidé de venir au Cybercafé alors qu'elles ne délogent habituellement de leur Q.G. *Chez Fifi* que quand Fifi part en vacances. Elles veulent peut-être trouver un site *Club des ex* sur le Net, *choisissez ensemble vos remplaçants*. On commence par planer puis un jour on surfe. Si seulement l'amour durait...

Je m'assieds près de Céline et je lui tends mes lèvres.

— Pas en public, elle me dit, les gens vont croire qu'on est encore ensemble, et je retire mes lèvres du jeu, pas l'air con.

— Pas en public tant que t'es pas ivre, je rectifie dignement.

— Alors, ce pot ? elle me demande, merci pour la perche. Je lui raconte combien ce pot était cool, combien je savoure cette complicité dingue avec mes collègues, combien cette complicité me borde le cul de nouilles. Je n'en rajoute pas tant que ça, seulement je m'abandonne sans réserve ni retenue à mon schéma psychique spécial des *Complicités à Géométrie Variable* (notion et termes de ma création, puisque je n'ai jamaïs, Dieu me garde, ouvert aucun livre de psy-quoi-que-ce-soit). Toute ma vie mon comportement social a reproduit ce schéma, que j'avoue irritant : quand je côtoie l'un des grands groupes très distincts de mon entourage, famille, amis, collègues, etc., il faut toujours que j'étale ma complicité avec les membres des autres groupes comme si eux seuls comptaient vraiment pour moi

— *vous c'est juste de la rigolade* — et j'ignore pourquoi je fais ça. Enfin, je ne dis pas que je n'ai pas ma petite idée sur la question, mais bon elle aussi relève d'une psychologie personnelle de bazar ; elle a du moins le mérite d'être personnelle. Voilà : je n'exclus pas que ces *Complicités à Géométrie Variable* répondent à un besoin d'indépendance morale qui se manifeste chaque fois que je crains de donner plus d'amour que je n'en reçois, de m'attacher à sens unique. Mes CGV sont une carapace qui dit *Si vous croyez que j'ai besoin de vous* quand on appuie dessus ; le jour où plus personne n'appuiera sur la carapace j'achèterai un chat et je le baptiserai *Mon Indépendance* ; il deviendra comme ces bicoques qu'une pancarte proclame bravement *Villa mon rêve* ; un fantasme vivant, qui miaulera, chiera et pourléchera ma glorieuse indépendance.

Une fois que j'ai fini d'épiloguer sur mon pot de ce midi, vient l'inévitable question, posée sur ce fameux ton à base d'ironie et d'amertume que Céline a adopté lors de notre rupture, en même temps qu'elle s'est mise à traiter tout le monde de pute à tout propos : *Tu fais quoi, ce soir ?* Et comme elle le sait déjà très bien, un sourire crétin me tiraille le coin des lèvres.

— Tu vois Gaëlle ?

— Ben ouais, je réponds, elle rentre de Paris pour la soirée, je précise, et un instant je bats des cils, je m'attends à recevoir le vin blanc de Céline en pleine tronche. Apparemment l'idée n'a pas effleuré Céline, mais moi je crois que je n'aurais pas attendu qu'elle m'effleure si j'avais entendu une pauvre niaise de ma trempe se justifier avec un air goguenard comme je viens de le faire, et ça suffit à semer la panique dans les rangs de mes cils.

— Vous allez baiser ?

Nadia se mord les lèvres pour ne pas éclater de rire, Caro hausse un sourcil perplexe, Céline tire sur sa cigarette comme si elle ne venait pas de hérisser trois chevelures en trois mots mieux que trois pots de gel à fixation extra forte.

— Certainement pas, je m'offusque, et je mets dans cette dénégation toute l'indignation que Gaëlle aurait attendue de moi dans la circonstance. *Baiser*, Seigneur. À m'entendre, cette perspective me dégoûterait carrément.

III - DES VIOLONS DANS MON VERMOUTH
(Vermouth)

En sortant du Cybercafé, une bouffée d'air comparativement frais et pur m'apporte le souvenir de mes responsabilités ; comme une mélodie lointaine si on veut, mais alors très lointaine. Je dois me dépêcher d'aller travailler ; Vieux Lille-Moulins en dix minutes, pas de problème, je me sens d'une humeur à sauter de ville en ville à la vitesse de la grenouille sur nénuphars naturels. Et même à accompagner auparavant Céline au supermarché, acheter son litre de vermouth quotidien — c'est elle qui m'a initiée au vermouth ; moi, j'étais plutôt gin-fizz. Elle boit encore plus sec depuis notre rupture, mais je n'en ressens ni inquiétude ni culpabilité parce que je sais que pour elle aussi, tous les prétextes à faire la fête sont bons. Celui-ci est béton : on peut manquer de citron et de glaçons quand on se vermouthe la tronche pour oublier, mais on ne manque pas de compagnie, les plus vagues connaissances virent amis de toujours qui ont juste pris le temps de fermenter, par excès de zèle ; on les en savoure d'autant plus, pour un peu on se les taperait, sauf qu'on ne veut pas s'abaisser à ma turpitude alors on ne le fait pas ; mais on le précise : *moi, je ne le fais pas* ; on s'en flatte, on s'en lamente, sait-on bien ce qu'on veut ? Peu importe, se flatter et se lamenter, comme double plaisir, ça soulève nettement plus que vanille-fraise, qui assure déjà pas mal lui-même. On passe simplement au stade supérieur, dans la cour des grands, où le cynisme porte son nom sur un badge, comme les caissières et les hôtesses de l'air.

Nous sommes chez Céline, moi assise sur la moquette un verre de vermouth à la main ; le radioréveil indique 18 : 04, déjà trente-quatre minutes de retard au boulot et il faudrait encore que de bonnes âmes si possible musclées m'y conduisent en brouette.

— Tu appelles Myriam et tu lui dis simplement que je ne suis pas en état de téléphoner. Même pas besoin de mentir.

— Alors pourquoi tu le fais pas toi-même ? se dérobe Céline.

— Ben parce que justement, je suis pas en état de téléphoner, je la raisonne.

— Je peux pas faire ça, elle glousse.

— Céline, tu te comportes comme une collégienne à qui on propose son premier touche-pipi. À d'autres, OK ?

— Tu sais bien que je me marre toujours quand y a des trucs sérieux, elle objecte, et je dois bien le lui accorder.

Nous réfléchissons à la meilleure stratégie pour contourner ce scandaleux impératif de la vie active qui consiste à pointer coûte que coûte, cuite ou pas cuite, et à l'issue de nos pourparlers je décide de prévenir Myriam de mon absence dès mon retour demain matin. Autant faire simple. Surtout que tout a commencé à cause de sa promotion. Ce n'est pas parce qu'elle désigne volontiers sa fonction par le terme plus diplomate d'*animatrice* qu'elle doit oublier qu'en vérité elle est notre *responsable*. À partir de là, qu'elle assume ses responsabilités, en toute logique ; on n'arrose pas inconsidérément ses subalternes.

Gros plans de Céline. Sa bouche s'ouvre comme une fleur carnivore, chaque fois que je lui donne mes lèvres en offrande j'ai le temps de voir ses dents avancer vers elles comme pour les mordre mais elles ne le font jamais, en tout cas rarement et pas très fort. Ce qui ne fait qu'accroître sa sensualité, d'autant qu'alors ses yeux mi-clos me fixent avec une intensité lascive qui me plonge droit où il faut. L'impression d'être le nonos en plastique de ma chienne, très excitant et en plus ça ne fait même pas mal.

Un truc bizarre à cet égard, c'est la part de notre échec sexuel dans notre rupture ; oh moi, on fait facilement tilt sur mon flipper, mais j'aime autant pouvoir rendre la pareille, ça se fait ; plus de fun, moins de pub. Cet échec reste un mystère complet vu notre motivation à toutes les deux. D'abord on se dit intimidé, puis trop convulsif, puis fatigué (toutes ces tentatives), enfin on se pose les incontournables questions sur le comment de la viande et le pourquoi elle frémit si mal ; on se fait la gueule, on boycotte, on baisse les bras et on s'aigrit ; on multiplie les activités *extra muros*, les soirées entre amis ; on picole un peu plus et donc on y arrive encore un peu moins ; on se cache, on fait mine de rien, aucun manque à signaler, *je m'en souviens comme si c'était hier*, sans blague on en perd la notion du temps, faut dire qu'on le dépense et qu'on se dépense ailleurs. Tant qu'on s'aime… On se dit qu'on a toute la vie pour trouver le bon bouton ; on fait l'autruche dans le mauvais trou. Et puis un jour fatalement on rencontre Gaëlle, ou plus exactement on se met à la regarder autrement, on s'attarde sur son charme, on la voit plus souvent, plus seule à seule, et qu'est-ce qu'on s'entend bien, qu'est-ce qu'on a de trucs à échanger, on n'aurait jamais cru. Bientôt quand on se triture la peau à problèmes en rageant le matin c'est vis-à-vis de Gaëlle, dans la solitude c'est Gaëlle qui manque et, classique, tout est dépeuplé. On se pose de nouvelles questions, série numéro deux, deuxième étape vers un remaniement de personnel. On se dégoûte bien pendant quelque temps, mais on finit toujours par s'accorder les circonstances atténuantes, *on ne choisit pas ses obsessions, on les subit*, on établit un formulaire de première nécessité, *faiblesse ≠ frivolité*, *nature ≠ cynisme*, « Si tu crois que je me suis flanquée exprès dans cette sombre merde… » Quoi qu'il en soit, on doit bien reconnaître qu'insensiblement on s'est engagé dans une autre histoire.

L'ennui, c'est qu'on a oublié de se dégoupiller avant de se jeter sur Gaëlle, et que d'autre part, pas moyen de désamorcer totalement la Céline qui nous reste sur le plexus. L'alcool aidant, on imagine un compromis de première bourre, l'arrangement malin de chez Futé & Malin : et si on repartait à zéro,

Céline et moi ? Tope là. On se butine sur la moquette, on révise discrètement les cours d'anatomie à travers les fringues, on revient à un sain empirisme.

Déjà vingt heures. Pour finir, je n'ai pas eu le temps d'aller travailler. J'ai aidé Céline à vider sa bouteille de vermouth, et je suis vautrée entre ses genoux. Sur le divan, Nadia et Caro papotent indéfiniment, si notre posture leur semble indécente elles n'en laissent rien paraître. Et alors ? il faut bien que quelqu'un fasse preuve de discrétion et qui ça devrait être ? moi ? Je dis *laissons-nous du temps, laisse-moi une chance, je t'aime, on se retrouvera* ; Céline dit d'accord, je t'aime, on verra, mes yeux piquent ; je ne leur ai commandé aucun effet pour le vaudeville improvisé, ils piquent tout seuls comme des grands, de leur propre chef, ils me pétillent — *tu vois, au fond tu l'aimes : qu'est-ce que t'as encore foutu ? tu gâches toujours tout*. Ils veulent me démontrer par le picotement sur quelle fille mon cul a sa place. Mais une fille n'est pas une chaise, elle a plus de charmes, d'humeurs et de doigts ; et il y a tant de chaises.

Déjà huit heures ? *Seigneur !* Mon sac à vermouth remue ses ourlets à vermouth au plus vite jusque chez moi, les transfère du sale bermuda au pantalon de tailleur. Jamais eu autant d'espace pour laisser traîner mes fringues ; comme lancer un confetti sur une patinoire. Trop picolé, sans doute ; ça vous bousille les perceptions, en comparaison Kubrick peut passer aux Nabis.

Et maintenant, s'agit d'assurer. Ce soir pour la première fois je verrai mon nom inscrit sur la couverture d'un bouquin ; je devrai cacher à mes éditeurs qu'ils ont misé sur un tiers de neurone défectueux au jambon avec super couenne insécable ; au moins ce soir je dois me tenir correctement, histoire qu'ils n'impriment pas dare-dare un recueil abrégé de ma couenne pendant la nuit, à quelques heures du lancement que nous sommes censés fêter tous ensemble, mes *collègues* et moi ; qu'ils ne brûlent pas mon contrat en psalmodiant des malédictions devant les autres auteurs du recueil, *mes collègues*. Si seulement je parvenais à museler ma grande gueule, mon tiroir-caisse de blagues Carambar, rien que ce soir. Fanny Carbonara, nom de plume La Navrante Aux Lardons.

Pourquoi faut-il que tout tombe le même jour ?

IV - TROP BRILLANTS POUR MES RAY BAN

(Rhum et gin)

Tout de suite, Adèle me fourre deux exemplaires du bouquin entre les mains. Je suis la dernière arrivée, tout le monde peut me voir sourire niaisement en lisant mon nom sur la couverture, au sixième rang sur onze — la première nouvelle que je publie, que quelqu'un accepte de publier... Les *collègues* ont déjà commencé à trinquer, à discuter, et me voici venir avec ma demi-heure de retard, comme si j'étais une star, je me pointe en VIP avec des *Ne vous levez pas pour moi* enfarinés plein la bouche, que la soif empêche tout juste de sortir, et on me présente à l'assemblée, dix prénoms que je n'ai pas le temps de retenir contre dix *Fanny*, bonne promo. S'agit de bien marteler les petites têtes.

Je suis assise raide dans mon tailleur pantalon alors que tout le monde s'est habillé cool, avec entre les mains un planteur à cinquante/cinquante de rhum et d'orange, et j'écoute les loopings verbaux de deux *collègues* par ailleurs trop profs à mon goût sur le thème *la télé, ce qu'elle nous fait rire, ce qu'on la méprise*. Thème brillant abordé brillamment, et j'ai oublié mes lunettes de soleil à l'appart; trop con. Trop brillant. Je lâche enfin l'ânerie de la soirée, genre le pilier de réunions Tupperware dans un salon littéraire :

— Si vous voulez plus de votre télé, je la rachète, moi : je dois justement me meubler assez vite, j'ai plus qu'un divan.

Quelques bonnes âmes ont le tact de pousser un petit rire, merci bien, comme on enfile un suppo à un mioche en délire à sa première varicelle. *C'est* ma première varicelle. Faut voir ce que je me gratte depuis que j'imagine mon nom sur cette couverture de bouquin, et tous ces sales spectres de mon passé en train d'halluciner un samedi après-midi à la Fnac en le découvrant là, *mon* nom, aussi incongru qu'un *Ta mère* dans la bouche d'une marquise — tous ces cons qui m'ont toujours crue encore plus inepte que je ne le suis si c'est Dieu possible.

En tout cas j'ai comme crevé une baudruche, parce que après mon ânerie la discussion s'est morcelée. Les brillants d'un côté, les obscurs de l'autre. Je choisis les obscurs, toute VIP que je suis, pour ne pas limiter la provoc' à ma demi-heure de retard. Faut rentabiliser ses prérogatives. Et puis au moins les obscurs emploient le langage oral à l'oral, et j'aime bien ça, c'est si *touchant* (en français dans le texte). Cette humilité voyez-vous. De mon côté, si je leur déblatère mon 100 % radotage de croisière, ils sont assez bien élevés pour faire comme si j'étais apte à soutenir une conversation hors du rayon charcuterie de Mammouth, de sorte que je n'arrive pas à évaluer mon niveau sous la surface de la mer Morte, et avec ça impossible de la mettre en veilleuse, je ne me tiens plus. Le côté VIP ressort malgré tous mes efforts, j'échafaude des théories socio-ethnologiques sur ma noble profession de téléprospectrice, pour l'édification générale, je cite quelques approximations littéraires, je glousse comme une oie constipée, Dieu que j'en jette.

Un moment, l'un des brillants vient pourtant me lustrer le flanc avec ses bons mots et je le renvoie illico à l'expéditeur avec ce qu'il me reste d'humour, mais mon humour vire à l'aigre dans ce genre de circonstances, il tombe à plat et je dois être en train de me ridiculiser, j'avais vraiment besoin de ça. Pis d'abord je m'en fous parce que le téléphone de mes éditeurs sonne, et qu'on me dit *Tiens, c'est pour toi*, et c'est comme si je pouvais sentir le parfum de Gaëlle à travers l'appareil alors qu'on me le tend, je sais que c'est elle. Elle va m'expliquer pourquoi elle ne m'a pas appelée plus tôt comme prévu, et s'empresser de me donner rendez-vous en fin de soirée.

Gaëlle, c'est la fille qui ne m'aime pas et pour qui j'ai quitté Céline qui m'aimait, et avec qui je flirte dans les soirées. Elle dit :

— Je viens de me coucher, là, je suis complètement claquée, et puis j'ai pensé à écouter mes messages et j'ai trouvé le tien, alors voilà... Qu'est-ce que tu fais, toi ?

Elle revient de Paris l'espace d'une soirée et elle se couche — normal, remarquez bien, puisqu'on était censé se donner rendez-vous — sans doute pour fuir mes lèvres où je l'ai enchaînée presque malgré elle, en tout cas sans qu'elle ait rien souhaité, rien vu venir. Ses lèvres ont le goût de leur aspect, comme des quartiers d'orange sur le bord d'une Tequila Sunrise. Jamais goûté de telles lèvres, leur texture est du plus pur fantastique, limite elles ne peuvent pas exister sur cette planète, et si on y trempe les siennes on devient cinglé comme je l'ai fait. Je ne risque pas d'oublier le soir où j'ai basculé : une fête ratée chez Nadia il y a pile dix jours, on ne comptait plus les absents si tant est qu'on puisse compter des absents, et comme dans toutes les soirées Gaëlle et moi nous étions repliées en comité restreint pour une vraie discussion après une bonne demi-heure d'élucubrations et futilités collectives. Je lui expliquais que ça ne marchait plus des masses avec Céline.

— Et en plus je suis amoureuse de toi, j'ajoute sur un ton anodin.

— Je m'en étais aperçue, elle répond sur le même ton, mais je ne t'ai jamais regardée *de cette façon*. Tu as une place très importante pour moi, je dis pas, mais ce n'est pas de l'amour et je ne pense pas que ça va changer, en tout cas pas en ce moment. J'ai pas envie d'une relation amoureuse en ce moment de toute façon.

— D'accord, j'acquiesce ; je comprends, ça ne se commande pas.

À nous entendre parler sur un ton si consensuel, on aurait pu croire que je lui avais demandé de me prêter sa voiture, et qu'elle m'avait simplement rappelé qu'elle n'en avait pas, et ça s'arrêtait là. Et peut-être bien que l'affaire aurait été aussi vite classée si à l'instant précis où j'allais passer au dossier suivant, l'appartement ne s'était pas soudain miraculeusement vidé de toute substance animale : Pam, la copine de

Nadia, est sortie en claquant la porte (tiens, elles se disputaient), Nadia l'a suivie en courant (bel effet), le chien, cette immondice aux yeux tellement globuleux qu'il semble aquatique en a profité pour filer à l'anglaise (à toi le vaste monde, petit), Céline et Florence se sont précipitées sur le palier pour le rattraper (sans doute torchées : elles haïssent ce chien, comme tout être pensant avec dix sur dix aux deux yeux), et dans le mouvement Seb a décidé de sortir acheter des clopes. Gaëlle et moi nous retrouvions donc seules mieux qu'en un claquement de doigts.

— Tu ne voudrais pas m'embrasser au moins une fois dans ma vie ? je lui suggère.

— OK.

Elle était assise sur le divan et moi en tailleur sur la moquette ; elle se penche vers moi avant que j'aie déplié une jambe pour aller chercher mon lot de consolation, et elle m'embrasse, deux, trois, quatre fois, des baisers appuyés, elle laisse ses lèvres s'attarder au bout des miennes comme deux mains sur un quai de gare qui n'arrivent pas à se lâcher et qui laissent l'initiative au train. Puis elle plonge sa langue dans ma bouche, et jamais je n'avais ressenti aussi intensément le pouvoir sexuel d'une pelle que ce mardi soir, Dieu Tout-puissant. Dans mon délire libido-mystique, j'ose même en redemander, et hop en revoici une bonne lampée, pas besoin de prier, l'indifférente s'avère prodigue. Quand la parade est revenue dans l'appartement — Pam, Nadia, le chien cette abomination cosmique, Céline, Florence et Seb — mon visage n'était plus que deux blancs d'yeux. J'avais basculé. Le reste de la soirée, surtout après que nous nous sommes éclipsées de chez Nadia, ne fut que mains s'accrochant et furetant, langues, lèvres s'accrochant et furetant, assises sur une autre moquette. *La moquette de Gaëlle.* Et ce soir je devrais renoncer à un remake ?

Sans déconner, je lui dis seulement que je suis déçue de ne pas la voir, on peut difficilement la jouer plus *soft* quand on vient de se bouffer les doigts jusqu'à la deuxième phalange sous le combiné, et elle réagit comme une montre japonaise qui réclame son bol de riz, *On peut se voir chez Fifi*, elle propose. Là je sens que mes réflexes de télépro reprennent le dessus : « Bien, ça t'arrange plutôt à quelle heure ? onze heures, minuit ? » *Jamais de question ouverte : que des alternatives.* Nous disons donc onze heures et demie, *c'est bien noté de votre côté, Madame Mon Obsession ?*

Je tends le téléphone à mes éditeurs comme un coupon de ciné, puis je finis mon planteur cul sec ; le bord du verre s'inscrit très exactement dans la rainure de mon sourire abruti. Quand je vais me resservir au bar et que je passe en revue les bouteilles, c'est tout juste si je ne me frotte pas les mains. Je dois exhaler une satisfaction à excéder un myopathe myope — tant de bonheur sous verre, *notre livre*, Gaëlle dans l'heure, putain ça s'arrose. Et ce sera un gin-Coca, faut varier les plaisirs.

— Tiens, vous changez, remarque quelqu'un.

— Faut varier les plaisirs, je réplique avec ma satanée spontanéité, quelle platitude : le penser déjà ce n'était pas terriblement fin, mais récidiver oralement, et en telle compagnie, ça dépasse la mesure. Je noie ma honte dans le gin-Coca et m'aperçois que je l'ai dosé comme un goret : trop de gin. Pas grave, je me décrispe très vite, l'alcool m'aide à oublier ses propres effets sur mes neurones et sur mon comportement, il les annule au regard de ma conscience à défaut de leurrer la brillante assemblée. J'ai toujours soutenu que l'alcool contient son propre et seul antidote possible.

À la fin du verre, il me semble même que je parle un peu plus posément à mes éditeurs, mais ils me détromperont peut-être très vite. Quoique au moment des au revoir, ils me disent *À mercredi* pour la séance de dédicaces en librairie : ils m'ont vue à l'œuvre, dans mon élément, plus imbibée qu'un poisson poreux, et ils ne m'exilent pas dans le trou du cul de la Patagonie le temps de la promo ; non contents de me tolérer dans les parages, ils m'invitent à m'afficher publiquement dans leur troupe. Après tout, j'ai souvent entendu dire qu'un groupe quel qu'il soit gagnait toujours à compter un demeuré, pour les besoins de l'éclairage. Mercredi, je n'oublierai pas mes lunettes de soleil.

J'attends d'avoir atteint le milieu de la rue de Jemmapes pour lâcher un braillement de samouraï en admirant la couverture de *mon livre*. Je crois même que je sautille ; aucun samouraï ne pousserait le ridicule si loin. Arrivée chez Fifi, je retrouve mon petit monde pas du tout brillant, ma deuxième famille, et tout de suite le bouquin circule de main en main parmi les rires interloqués.

Et là, dans l'air à 75 % nicotine, la foule à 75 % beurrée, souriante et fraîche comme si elle ne sortait pas tout juste et presque à contrecœur de ses draps : Gaëlle. Dans ma poitrine, un loukoum palpite, blop, il se liquéfie, j'y crois pas, il se prend pour du soda, ce con — *Eh! t'as déjà vu du soda à la rose ?* Quel con, quand j'y pense.

V - BIEN SÛR QUE SI, MAIS VA-T'EN
(Desperados et kir violette)

Ma vie sentimentale actuelle repose sur deux arrangements aussi béton que des ballons sur un nez d'otarie. Il y a Céline, statut amie, option ex, clause spéciale *On couche ensemble quand ça nous chante*, et il y a Gaëlle, statut amie, option lubie, clause spéciale *On flirte et on se donne la main, mais jamais en public et gaffe aux dérapages*. Mais comme me rassurait mon amie Bérénice (option collègue, pas de clause spéciale), on ne s'impose de limites dans ce domaine que pour mieux les franchir. Par raffinement, en somme. Debout au milieu du bar plus bondé qu'un métro après une heure de panne, j'attrape la lèvre de Gaëlle comme une goutte de glace à la fraise fondue prête à tomber de son cornet. Je dis :

— Tu m'as trop manqué. Penser à toi est devenu une activité à temps complet depuis que t'es partie.

— Je l'ai bien remarqué, elle répond.

Elle n'ajoute aucun commentaire, n'essaie pas de me remettre sur le droit chemin du cynisme ; petit à petit elle s'habitue à mes démonstrations sentimentales. Surtout depuis la mise au point de la semaine dernière — elle s'imaginait que je la mettais sur un piédestal, comme si le désir naissait d'un processus d'idéalisation, comme si on hachait les steaks avec des lames de cristal, et je lui ai répondu dignement que je n'avais jamais placé aucune femme sur un piédestal pour la simple raison qu'aucune femme ne m'avait jamais rendue aussi folle que ma chanson préférée du moment, et que de fait je me lassais moins vite d'une chanson passée en boucle que d'une « régulière » que je voyais tous les jours.

— Tu sais bien qu'on est du même moisi, toi et moi, je lui rappelais : incapables d'aimer la même personne plus de trois mois, quand c'est pas trois semaines.

— Justement, elle en rajoutait : ce serait idiot de gâcher notre amitié pour si peu.

— Bien sûr, je me suis empressée : je n'envisage pas non plus de relation amoureuse entre nous.

Je ne mentais pas exactement. Je l'avais envisagée, cette relation amoureuse, OK, mais tout en reconnaissant qu'il valait mieux éviter le piège ; simplement, j'aurais préféré que l'arrangement otarien découle directement de cette conscience, de cette honnêteté n'est-ce pas, plutôt que de la dissymétrie de nos sentiments, moi un peu plus amoureuse et Gaëlle un peu moins que je ne l'aurais souhaité. Maintenant encore je ne suis pas sûre d'avoir totalement liquidé l'obsession ; pas très sûre de ne penser qu'avec mon cul comme je suis censée le faire.

J'observe Gaëlle, je l'étudie, demain je dois la savoir par cœur de A à Z, et les jours suivants aussi jusqu'à son prochain retour de Paris. Elle me parle de sa toute nouvelle vie parisienne justement, et j'écoute son visage autant que ses mots ; quand elle me regarde dans les yeux, c'est toujours légèrement de biais parce que alors elle tourne un peu la tête, immanquablement, et elle soulève un sourcil. Comme si elle expliquait le fonctionnement d'un jouet à un enfant et voulait s'assurer qu'il capte bien. Ses yeux s'agrandissent, je les soutiens (fortiche) puis elle regarde vers le sol et j'en profite pour admirer ses lèvres à la dérobée — *Venez là, petites*.

Paris. Je cherche indéfiniment à comprendre par quelle ironie foireuse il a fallu qu'elle commence ce boulot cinq jours après la rencontre de nos bouches, qui semblent tant avoir à échanger. Est-ce que franchement, organiser un festival de musique dans la câpi-tâle, côtoyer à la cantine ce qui tient lieu d'acteurs à ce qui fait office de cinéma en France mérite de frustrer ces pauvres bouches au seuil du nirvana ? D'ailleurs si elle veut bien jeter un œil sur la couverture de ce bouquin, elle y remarquera mon nom au sixième rang, à moins que les petites célébrités en présence desquelles elle assouvit désormais ses besoins les plus animaux tous les midis à *Paris* ne l'aient définitivement éblouie, auquel cas je serai contrainte de condescendre à la pitié, ce sentiment si répugnant.

Venez là, allez, petit-petit-petites...

Surtout qu'elle ne m'embrasse pas ; elle risquerait de tomber amoureuse, et puisque ce n'est pas prévu dans ses plans au cordeau… L'imprévu, Seigneur, la magie, la surprise. Comparés aux demi-portions de l'écran national, Gary Cooper et Katharine Hepburn sont priés de ne pas pouffer, merci. Très bien ; qu'elle prenne un pot avec la section petits du cinéma mondial si c'est son bon plaisir, et pourquoi pas vendredi soir, plutôt que de passer la soirée avec moi. Fred Astaire, Ava Gardner, veuillez cesser de ricaner voulez-vous. La cantine, bon, ça va un temps. Anne Bancroft, Clint Eastwood, s'il vous plaît. Le pot, doux Jésus ça en jette déjà nettement plus. Donald Sutherland, Jennifer Jason Leigh, pardonnez-moi de ne pas m'esclaffer avec vous, j'ai une ignoble carie. Ah ça, avec un entourage aussi prestigieux à la cantine, je ne m'attends plus à la voir tous les week-ends, Gaëlle.

Et pour tout arranger, la Desperados c'est bien savoureux mais ça soûle à peine plus que le Banga et là en toute honnêteté j'aurais besoin d'un spécifique un peu plus radical. D'ailleurs il est temps de fuir les spectres de la franchouillarde gloriole que Gaëlle vient de libérer sous ces plafonds trop bas, temps de quitter ce bar, d'autant que la fumée de cigarette est si dense qu'on ne trouve pas les pointillés pour s'y découper un conduit d'aération. Dehors, l'air est frais ; vachement frais, merde. Beaucoup trop, à vrai dire, de sorte que nous entrons très vite dans un autre café. La cave du Balatum est respirable, nous vidons nos poches sur la table et consultons la carte et calculons ce que nous pouvons obtenir pour vingt-sept francs ; curieusement, il ne nous vient pas à l'idée que nous ne sommes pas obligées de commander la même chose. Peut-être parce qu'on s'est cotisées, histoire de se garantir un partage équitable des richesses. Ou bien, je sais pas. On pourrait penser que ça évoque ces petites niaiseries dont les jeunes couples sont toujours si friands, genre *notre chanson*, un verre pour deux avec une paille nunuche, ou bien *je prendrai la même chose* ; enfin, toutes ces petites mièvreries, quoi ; enfin, on pourrait penser que... Non ? Bon, OK. On a le droit d'essayer.

Nous optons pour deux kirs à la violette ; il nous manque trois francs mais la serveuse nous fait signe d'oublier, son visage ordinairement propre à terroriser les petits enfants, idéal pour un Halloween tout en frissons, nous sourit plus vaste que je ne l'en aurais cru capable, et c'est comme un lâcher de ballons multicolores en notre honneur. Ce que refuse Gaëlle me porte alors au comble du ravissement : qu'on nous prenne pour un couple. Alors que nous n'en sommes pas un ; nous avons un arrangement pour nez d'otarie. Je ne finis pas mon verre. Je me rappelle sortir des lèvres de Gaëlle et me lever et voir mon verre à moitié plein sur la table, et me dire que bon sang, voilà bien une première.

Maintenant nous marchons tranquillement, destination Wazemmes, et comme chaque fois que nous marchons la nuit, surtout tranquillement, nous nous donnons la main. Souvent je m'amuse à lui prendre la main comme dans la cour de récré, genre pinces de Playmobil, et chaque fois elle me corrige, elle glisse ses doigts entre les miens, et chaque fois je me laisse aller à oublier notre arrangement otarien et je me dis que ça y est, elle tombe amoureuse. Tout en sachant qu'en fait non, mais j'aime tellement le cinéma ; je me fais le mien. C'est peut-être dû à ma carence en neurones. Faut dire aussi qu'elle a des expressions et des attitudes qui peuvent troubler un esprit enclin au cinéma tel que le mien, Gaëlle.

Elle ne se rend sans doute pas compte que les nuits où je la raccompagne ainsi chez elle, je reste adossée à sa porte en fille qui ne voudrait pas s'imposer, et qu'en conséquence c'est elle qui me prend contre la porte, même s'il ne s'agit que des lèvres du visage, et voilà qu'à présent quand je lui demande *Tu veux que j'y aille ?* elle me répond *Si on arrive à se décoller* ; elle ne dit pas *si* tu *arrives à te décoller*, elle dit *on*, elle nous inclut dans une même incapacité ; est-ce qu'elle sait combien elle m'aimante ? Se pourrait-il que je l'aimante pareil ? On peut être aimanté sans aimer. Ce serait déjà pas mal.

J'embrasse son cou, je le mordille, je le lèche en petits cercles, les yeux fermés je ressens ces petits cercles de ma langue sur sa peau comme ces spirales de sable qu'on écrase par centaines sur les plages du Nord et qui intriguent tant les enfants. Elle chuchote *Arrête*, je dis que j'ai envie d'elle et je n'arrive pas à croire que j'ai eu le culot de le lui dire, elle proteste qu'il ne faut pas ; alors qu'on n'est même pas des épouses pieuses du XIXe siècle ; je lui demande si elle n'en a pas envie, quel culot décidément, je coule une bielle, et là je crois rêver, elle me répond *Bien sûr que si, mais va-t'en.*

Il est trois heures du matin, Afrika Bambaataa tente de m'injecter son tonus tandis que je clopine sur les pavés de la Place du Marché, et tout ce que je parviens à conclure de cette soirée, c'est que le pathétique et le grotesque devaient se le disputer grave quand je répétais *Je t'en supplie, aime-moi* à ma pauvre Gaëlle. Parce qu'il faut la voir, et il faut me voir. Y a de quoi effrayer. Seigneur, qu'est-ce que je peux enlaidir avec ce nouveau régime vermouth — cacahuètes grillées — clopes…

VI - LE DELIRIUM TREMENS, À PRÉSENT
(Sommeil)

T2 50 m^2 avec divan convertible. Voilà encore autre chose. Je quitte un appartement tout confort pour prendre un verre avec des amis, et quand je rentre je trouve une chambre d'échos avec un divan à rayures vertes au milieu. Manquait plus que ça. Ou bien on se paie ma tête à renfort de gros effets, ou bien c'est le delirium tremens qui commence. On aura vraiment tout vu. À ce tarif-là, bonne nuit tout le monde, je me brosse les dents, je me flanque sur mon divan, mon meuble, mon confort, et je me débranche.

VII - MON DIEU, TOUT CE POTAGE
(Potage)

Arrrgh — Putain, se réveiller dans un Argh, ça promet. Saloperie de téléphone à la con, merde — remarquez, ça commence si bas que ça ne peut guère finir qu'un peu plus haut. Je patine dans la poussière — où sont passés les meubles ? Non mais deux secondes, là, qu'est-ce que c'est encore que ce délire ?

— Quoi ? j'aboie dans le combiné.

— Ouais, c'est Céline.

— L'est quelle heure ? j'aboie toujours.

— Neuf heures.

— Hein… Neuf heures ? je grogne. De quel jour ? Putain merde, c'est samedi ?

— Ben ouais.

Tous les week-ends, avant que je ne trouve mon travail, Céline passait ses heures de service au télé phone, à me raconter les derniers ragots de notre petit groupe et à me faire des « tests psychologiques » qu'elle péchait dans la presse féminine. Elle en profitait parce qu'elle ne recevait presque jamais de clients et qu'elle disposait d'un téléphone — sa ligne personnelle est coupée, il lui faudra quatorze mois pour rembourser ses dettes à France Telecom.

— Mais je bosse à dix heures, moi, le samedi, je gueule comme si Céline était responsable de ma panne d'oreiller.

— J'y peux rien, moi, confirme-t-elle. T'as pas entendu le réveil ?

— Le réveil, je ricane méchamment. Il a dû se faire la malle avec les meubles, le réveil. Les salauds, ils m'ont laissé que les minous et un divan convertible.

— Ah ouais, Florence est dans son nouvel appart.

Mais oui, bien sûr : le déménagement. Les sales — ils ne m'ont même pas laissé de réveil alors qu'ils savent que je travaille. Quelle compassion, je te jure, encore heureux qu'ils n'aient pas emmené les murs. Un divan en plein air, on fait plus folichon comme résidence principale.

— Et moi je travaillais à sept heures, renchérit Céline, comme si j'avais oublié son emploi du temps en huit jours ou qu'elle vivait dans un hangar avec un pouf au milieu.

— Toi c'est différent, je lui rétorque : tu vois deux clients en cinq heures, tandis que moi je passe trois cents coups de fil en trois heures, en comptant les répondeurs et les raccrochages au nez. T'es pas forcément la plus à plaindre.

— Sauf que ce matin, quand j'ai vomi mon café devant mon guichet, je me suis retrouvée nez à nez avec un client que je vois presque tous les jours.

J'en rigole encore sous la douche ; j'imagine la scène — ils ne font qu'entrer et sortir, le café puis le client.

Par inadvertance, j'ai dû mettre un casque de moto sous mon crâne. Je marmonne des excuses pour mon absence d'hier soir, mais personne ne me demande de comptes, ni le grand patron ni Myriam, qui m'épargnent ainsi d'improviser un bobard à cinq centimes — puisque je n'ai pas pensé à en polir un bon petit bien roulé sur la route, à cause du casque de moto sous mon crâne. Quand je songe à mes pauvres petits neurones, pourtant espèce protégée, écrasés entre les deux. Quel gâchis...

Comme je ne voudrais pas connaître le genre de désagrément que Céline a expérimenté ce matin, je ne prends pas de café au distributeur mais un potage à la tomate. J'imagine la gueule du type qui se paye un télépro sur le coin de la gueule pile son seul matin de grasse matinée, quand pour mettre le comble à son exultation elle commence à gerber son vendredi soir sur le combiné à grands râles hoquetants. Ce serait vraiment trop de bonheur — *Allô, M. X ? Ici la Société Je T'Entube, blurps, rha, gloups — hmmmm — reblurps, rerha...*

L'homme au tablier blanc enfonce une seringue dans la tomate et tire sur la pompe, il tire encore et encore (la seringue est aussi volumineuse que la tomate), ça va loin. Il a bientôt exprimé tout le jus, les pépins se cognent contre la paroi cylindrique, paniqués, et quand l'homme au tablier blanc écrase la tomate desséchée à grandes volées de marteau avec une délicatesse de bûcheron c'est encore pour les pépins que je m'inquiète, je me dis qu'eux, on ne sait pas ce qu'ils deviennent *ensuite*. On nous cache la vérité sur les pépins. Un jour bien entendu ça explosera, comme Ceaucescu, mais pour le moment on nous borde bien serré dans l'ignorance. Je regarde mes interrogations tisser un voile de mousseline autour de mon cerveau, si on ne m'affranchit pas très vite au sujet des pépins mon cerveau va étouffer, vous entendez ? Et je n'en ai pas de rechange, figurez-vous. Enfin une lame pourfend le voile de mousseline avec un gloussement désinvolte, très ténu, elle le passe si doucement à son fil qu'on ne croirait d'abord qu'une caresse, jusqu'au moment où l'air s'insinue par la déchirure et alors ouf. Trop heureuse de recouvrer mon cerveau j'abandonne lâchement les pépins de tomate à leur sort ; maintenant je comprends qu'on puisse nous cacher tant de vérités impunément, si tout le monde fait comme moi : on déserte avec son cerveau et son potage à la tomate, et *démerdez-vous les pépins*. La lame continue à dégager mon cerveau de la mousseline avec son gloussement désinvolte, le monde peut à nouveau harceler mon standard.

Je tourne un œil vitreux vers Bérénice, qui en plus d'être l'une de mes meilleures amies dans le civil est aussi ma voisine dans le télémarketing. Elle m'observe en rigolant de son fameux rire lent qui semble coincé dans sa gorge.

— Quoi ? je lui lance avec humeur.

— T'as la marque du combiné imprimée dans la joue.

Vrai que ça brûle un peu. La minuterie du téléphone affiche 6'12, la tonalité est précipitée comme une attaque cardiaque en duplex sur écran vert.

— T'as de la chance d'être tombée sur un absent.

— Si quelqu'un avait répondu, je me serais réveillée, je prétends dans un sursaut d'amour-propre — curieux qu'une fumiste de mon acabit ait tellement à cœur de bien faire ce boulot, et que personne ne s'y méprenne. Allez donc savoir pourquoi précisément ce boulot. N'empêche qu'aujourd'hui je me sens trop bizarre pour assurer ; pas vraiment fatiguée, non, plutôt invertébrée ; disons que je guette le moment où je glisserai aux pieds de ma chaise. Quand je secoue la tête dans l'espoir insensé de me ressaisir, j'ai l'impression d'avoir lancé un de ces accessoires de bureau bidon en mouvement perpétuel, sauf que le mouvement gagne de l'ampleur à chaque circonvolution, ma tête va bientôt m'emporter tout entière avec elle et ensemble nous basculerons par-dessus le dossier de la chaise, quatre fers en l'air et un téléphone ; je tomberai tout simplement endormie tête première, et n'essayez pas de me réveiller, épargnez-vous cette peine ; même le traumatisme attendra que mon crâne ait décroché sa pancarte *Ne pas déranger* pour se déclarer. J'essaie de me stimuler, je raconte l'anecdote de Céline à Bérénice avec le rire bêlant de l'ivresse qui ne veut pas se dissiper, mais ça ne la fait même pas sourire.

— Juste devant son guichet, je répète au cas où elle n'aurait pas pigé le truc drôle.

— Je ne comprends pas pourquoi vous vous détruisez comme ça, elle dit gravement.

— On se détruit pas, je plaide, on s'amuse.

— Moi je ne bois jamais, ça ne m'empêche pas de m'amuser.

— T'es pas la première à me dire ça. Apparemment c'est très à la mode de s'éclater au Perrier mais que veux-tu ? je suis vieux jeu, je continue à penser que l'alcool, dans une fête, ça fait plus convivial.

Je sais où elle veut en venir, si elle croit que d'autres ne s'y sont pas déjà cassé les dents. Non, je ne suis pas alcoolique : je ne bois pas parce que j'en ai besoin, je bois parce que j'aime ça. Nuance, poulette. Comme je dis toujours (en fin de soirée on y coupe rarement), je n'ai pas de problème de boisson, sauf quand mon verre est vide ou que je trouve plus ma bouche. L'alcool, sans blague, c'est fascinant ; l'homme s'y accroche depuis qu'il a découvert l'œsophage, et au fil des siècles la magie n'a pas décliné. Quoi de plus universel que la musique et l'alcool ? Citez-moi une peuplade au monde qui n'a pas créé *sa* musique, *son* alcool ? Je ne me sens pas dépravée, je ne vois rien de répréhensible dans mon mode de vie. Laissez-moi tranquille, d'abord.

À la pause, j'emmène un deuxième potage à la tomate dans la petite cour du local ; je me rends compte que je n'ai avalé que des liquides depuis hier matin, dont très peu sans alcool. Jamais je n'aurais imaginé fumer ma deuxième cigarette de la journée avec un potage à la tomate, surtout un samedi à l'heure d'ouverture de l'apéro. Aujourd'hui je sens que je vais m'illustrer par une sagesse exemplaire. Bérénice me rejoint dans la cour, les autres restent à l'intérieur pour bavarder parce qu'ils n'ont pas de casque de moto sous le crâne, pas besoin d'un courant d'air entre les oreilles. Je raconte ma soirée avec

Gaëlle Gaëlle Gaëlle, je lui ai dit elle m'a fait je l'ai — oh, c'était à deux doigts — *et elle, Gaëlle, Gaëlle, t'aurais vu, dingue. À deux doigts te dis-je.*

— Et tu es partie ?

— Ne me le rappelle pas, menace mon regard.

— T'es vraiment trop conne.

— Dans mon dialecte, on dit *respectueuse*.

N'importe quoi. Pas un hasard si c'est mon expression du moment, *n'importe quoi*, et ça va du potage à l'heure de l'apéro (n'importe quoi) jusqu'à l'hypothèse que Gaëlle pourrait — c'est du n'importe quoi...

— Tu devrais parler un peu moins vite, me conseille Bérénice. Si tu oublies de respirer, ça va pas arranger ton affaire. C'est ça, fais la danse de la pluie, ça t'aidera à passer tes nerfs.

Il est vrai que je marche beaucoup compte tenu des dimensions de la cour ; mais quand je cesse de marcher j'ai l'aplomb d'un héron sur un tourniquet. Pire qu'un malade en pleine chorée sauf que je n'ai même plus de quoi intéresser un neurologue entre le crâne et le casque de moto. Triste. Quand je retourne à mon téléphone après la pause, j'entends Myriam dire : « Je vais suivre Fanny à la trace, comme ça le jour où elle s'effondrera au moins elle ne se brisera pas le crâne. » Mon crâne devient une affaire publique, ma parole. Je me tourne vers Myriam et je constate que son sourire est bienveillant. C'est une responsable vraiment chouette, Myriam. Du coup, je me prends un troisième potage, et je le sirote entre deux coups de fil, comme un cocktail sous les palmiers.

Treize heures, je sens samedi bouillonner en moi, un vieux démon. Si la race humaine a évolué depuis

Travolta, je n'y suis pour rien. Faut que je me calme — vieux refrain, ça aussi. Bérénice m'emmène dans un snack asiatique ; on mange en terrasse, nems et omelette vietnamienne, le soleil appuie comme un fer à repasser sur mes bras, c'est agréable. On parle des bienfaits de la drague quand on a besoin de se changer les idées et j'en viens à dire que j'essaierais bien, quoique au fond je ne l'envisage pas vraiment. Pas la tête à ça. Après Céline et Gaëlle, toutes les filles que je pourrais croiser dans nos chasses gardées me sembleraient tellement fades que je prêterais la joue au râteau plutôt que de jouer le jeu. Quand on n'a pas la conviction, autant ne pas draguer.

— Et puis je ne saurais pas comment m'y prendre, je reconnais enfin.

— Ben ça dépend, répond Bérénice, y a pas de méthode spéciale. T'improvises, tu vois comment ça se combine. En fait c'est pas bien compliqué.

— Mais je suis timide, moi, je proteste.

— Et alors ? Moi aussi je suis timide, mais j'y arrive.

Elle est chiée, quand même. Elle vit avec la même fille depuis plus d'un an, elle l'appelle sa *petite femme* avec des mines à faire tourner guimauve le pire nougat, et elle prétend me donner des leçons de drague. Qu'elle s'y colle, un de ces soirs, et elle s'apercevra qu'on ne sort pas indemne d'une vie de couple presque rangée ; difficile de rendre sa fluidité originelle à la soie la plus fine après des années de lavage sans Soupline. D'ailleurs par un sale caprice de ma nature pourrie pas gâtée, j'aborde toujours les filles dans la perspective *amour toujours*, alors même que je me suis avérée définitivement incapable du *toujours* ; chaque fois que j'ai annoncé officiellement ma décision de virer frivole je n'ai déclenché qu'une hilarité attendrie, et chaque fois que pour faire mes preuves j'ai tenté d'appliquer ma décision et harponné une fille, je me suis retrouvée maquée avec elle pour perpète. Je veux dire, tant mieux dans un sens, mais si seulement ça durait vraiment perpète, le perpète de la définition, celui dont on ne voit pas le bout, l'inépuisable perpète... Je vais finir par virer systématiquement mes recrues dès que leur période d'essai vient à expiration.

— Mais l'amour peut pas toujours être passionné, objecte Bérénice, il évolue ; il prend une autre forme, mais ça reste de l'amour et c'est bien aussi sous cette forme.

— Admettons, je concède. L'ennui c'est que d'une part je ne tolère pas l'idée d'un affadissement, et que d'autre part j'ai une case « Passion » qui exige d'être remplie, et si ce n'est plus par mon officielle je me retrouve toquée d'une autre fille avant d'avoir rien senti venir. Un beau matin je me réveille en cherchant jusque sous l'oreiller quelqu'un qui n'est pas censé partager mes nuits, et là c'est réglé, je comprends que la lente glissade est amorcée, et j'ai beau freiner avec les talons, ruer comme un âne entravé, je sais que la chute est imminente, je peux la différer mais y a pas à chier des cactus candélabres, j'y couperai pas. C'est l'histoire à la con de toute ma foutue vie.

— Déjà deux heures moins le quart, s'affole Bérénice. Je vais pas tarder sinon ma petite femme sera rentrée avant moi et elle va péter les plombs, *Où est-ce que t'étais passée ? avec qui ?* Tu sais comme elle est jalouse.

Vraiment pas gêné, le Docteur ès Drague.

Avant de se séparer, on passe en coup de vent dans la première librairie pour admirer *mon bouquin* en tête de gondole. Une minute de silence, sauf que mon ventre gargouille comme un damné — lui que j'ai élevé au 16 % vol. minimum, je peux le voir hurler *Oh mon Dieu, tout ce potage !* avec la puissance vocale d'une midinette épouvantée dans un film gore.

VIII - OÙ J'AI FOUTU MES BRAS ?
(Trop intime)

Céline fait toujours la sieste en rentrant du boulot le samedi à midi, après avoir accompli l'exploit de tirer ses cinq heures avec tous ses organes et ses membres à la bonne place, balèze vu que tous les vendredis soir elle fait la fête très tard, et que dans les fêtes elle boit plus raide que trois marins en rade dans un film de Huston. Elle oublie souvent des pans entiers de ces soirées, surtout ceux où elle devient agressive ; il lui est arrivé de me balancer des saloperies à me filer des nuits blanches pour pas un rond, et de glousser le lendemain quand je lui rapportais ses propres faits et gestes. Comme si parce qu'elle n'avait pas le souvenir de ses saloperies, il ne s'agissait ni de sa mémoire ni de ses saloperies ; elle les regardait comme les saloperies que ses amies font à d'autres, avec l'indulgence amusée de parents pour leur mioche espiègle quand il casse le mobilier de leurs hôtes.

Il est seize heures trente, je suis moite sous ma robe, je me fais l'effet d'un nem passé au micro-ondes, je ne croustille plus du tout, et les volets de Céline sont encore fermés ; elle doit cuire aussi, sous sa couette ;

moi à l'huile et elle à la vapeur, décidément nos voies divergent de plus en plus, cette histoire part en clito, je veux dire même la clandestine — encore du réchauffé, encore tintin pour le croustillant. Céline vient m'ouvrir en caleçon et débardeur ; pas de soutien-gorge. Elle dit fréquemment qu'elle n'aime pas ce débardeur parce qu'elle se sent indécente quand elle le porte :

— On voit mes seins, elle dit — traduction : *On voit que j'ai des gros seins.*

— Tant mieux, je réponds alors généralement, et elle :

— Coquine…

Depuis le seuil de sa porte je sens l'odeur chaude de son corps, une odeur de sommeil, je vois que la peau de son visage est plus pâle et plus souple que nature, surtout les deux croissants sous ses yeux, ces cernes incolores que j'aime tant picorer, et quand ses yeux d'un bleu sans détour enfoncent les miens comme les touches d'un distributeur, clic, je me rends compte que ça clignote encore pour elle entre mes cuisses.

Je savais que son haleine serait aromatisée pareil que son corps (Sommeil Sucré, de chez Encore Fébrile), que ses lèvres fondraient sur la langue comme sa peau sous le sommeil ; je les dévore plutôt brutalement, nous nous frottons moitié assises moitié étendues sur le matelas et il y a des mains partout qui ne savent plus ce qu'elles font ; mon souffle dit *Par là* en morse, et voilà enfin — ses doigts dévissent l'ampoule qui clignotait à me faire mal, je m'accroche à ses épaules, le nez dans son cou.

***

— Mais c'est douloureux ou quoi ?

— Non, je n'arrive tout simplement plus à bouger les doigts — regarde-moi ça : on croirait que je pose pour Schiele, l'angoisse…

— Comment ça se fait ?

— J'en sais rien du tout. Je dois avoir une grave maladie nerveuse ou un truc dans le genre.

— Ben voyons. La semaine dernière tu avais un cancer de la peau, et maintenant c'est une grave maladie nerveuse…

— Et alors ? je geins. C'est pas incompatible. Et tu te rappelles, ça m'est déjà arrivé, au début. Je pensais seulement être ankylosée mais ça s'est tellement éternisé que j'ai bien cru rester paralysée. Il faisait chaud aussi ce jour-là, je manquais aussi de sommeil, tout ça doit jouer. Pourvu que ce soit pas irréversible, Seigneur Tout-Puissant.

— Essaie de bouger les doigts, peut-être que ton sang circule mal, tout bêtement.

— Je peux pas, rien à faire : t'as vu comme mes mains sont contractées ? Oh merde, ça gagne les bras.

— Qu'est-ce que…

— J'ai plus de bras ! Je te jure, je me sens comme un manchot.

— Les manchots sentent encore leurs bras.

— Alors je ne suis pas un manchot, je te promets. Je suis désolée, sans blague, je ne sais pas quoi faire pour récupérer mes bras. Tu vas croire que je le fais exprès, juste au moment de te toucher…

— C'est pas grave. Une prochaine fois, peut-être.

IX - UN PETIT TRUC ENTRE INTIMES
(Vermouth)

Le lit est redevenu divan, les volets sont enfin ouverts et la télé beugle trop fort ses séries américaines entrecoupées de pubs ; mes bras tiennent à mes épaules comme deux pièces de Kinder tandis que j'essaie de remuer mes doigts crispés. Céline coiffe ses longs cheveux blonds, quel dommage je les préfère en crinière, d'autant que leurs pointes ont doré au long de l'été. Je me rends compte que notre amour n'a duré qu'un été, alors que tant de fois on s'est dit *On a tout le temps*. Belle coïncidence que j'y pense voûtée sur un divan avec les bras ballants comme si on venait de me les greffer ; je ne me possède vraiment pas, ni physiquement ni moralement. Face à la vie, je reste flan, je suis un flan. Je me ferais pitié si la pitié n'était pas répugnante et que je n'avais pas opté en conséquence pour le cynisme — oh, un cynisme gentil : cœur de loukoum, clitoris clignotant, et plus assez de neurones pour les équilibrer.

— Tu fais quoi, maintenant ?

— Je rapatrie mes bras à l'appart. Faut que j'appelle Cathy, Christelle, Héloïse, Nadia et Pam : j'aimerais qu'on se fasse un petit apéro entre intimes pour mon anniversaire. Pas envie d'une fête, ce soir. Tu viens, non ?

— C'est juste un… *petit apéro*, pour finir ?

— Ah oui, je m'emporte, ras le cul des beuveries, j'ai mon compte pour la semaine — et je mets dans cette déclaration tout ce qu'il faut de véhémence pour nous convaincre toutes les deux de ma résolution, parce que je nous connais : Céline sait pousser à la fête comme pas deux, et moi je cède comme personne.

— Ben j'ai pas l'air con, maintenant que j'ai invité tout le monde, elle se mord les lèvres.

— Ah, parce que t'as invité tout le monde ? je m'indigne. Tu t'emmerdes pas, toi…

— Tu rigoles ? Hier tu m'as dit *Je fais une fête chez moi pour mon anniversaire demain soir, si tu pouvais prévenir tout le monde*, tu as même précisé *le petit groupe et le grand groupe*, ça s'invente pas.

— Moi, j'ai dit ça ?

— Hier soir chez moi. Tu peux demander à Nadia.

— On a tous des absences, je grogne.

— Je décommande ? elle propose sèchement.

— Non, non, c'est très bien. Tout le monde réuni pour mon anniversaire, c'est parfait. Très touchant. Alors tu as prévenu… qui, exactement ?

— Ben tout le monde, naturellement, comme tu me l'as demandé.

Elle pourrait fabuler, mais d'un autre côté ce genre d'invitation avinée, *Venez tous mes amis, rejoignez notre confrérie*, ça me ressemble assez. Va pour la fête avec le petit groupe et le grand groupe. Après tout ce ne sera pas vraiment une beuverie, ce sera en quelque sorte une thérapie de groupe. Les Alcooliques Anonymes, mais ceux du verso : ceux qui visent à sortir de l'anonymat en préservant leur alcoolisme.

Je rentre en éclaireur dans mon appartement vide. Il s'agit d'éliminer les minous avant le grand débarquement, sinon les troupes risquent de rebrousser chemin — qui oserait poser son postérieur sur le lino bouclé de gris filandreux, maintenant qu'il n'y a plus de meubles dessus pour faire propre, et qu'un seul divan pour (petit groupe et grand groupe) disons une vingtaine de culs ? Surtout qu'en s'ébranlant vers la sortie les meubles ont emporté dans un appel d'air les réserves que les radiateurs avaient consciencieusement engrangées pendant quatre ans par tous les interstices, décroché les grappes de poussière, les régimes de crasse en pelote, la barbe à papa du temps ; maintenant, tout ça se vautre sur le lino, se roule avec des langueurs félines d'un angle à l'autre du salon, fait comme chez soi.

Maman était outrée chaque fois qu'elle mettait les pieds ici parce qu'on ne nettoyait que les surfaces apparentes ; moi ça me semblait raisonnable puisque personne ne s'est jamais aventuré derrière mes radiateurs, ni sous mon divan. Pourquoi pas tant qu'on y est s'offrir une psychanalyse pour ne pas risquer de leurrer son entourage par une jovialité factice ? Ce qu'on montre aux gens leur suffit bien et tant mieux. Est-ce qu'il serait plus sain de ramper sous le divan d'autrui, ou de titiller son psychisme ? On a tous un cafard sous le matelas. Autant s'arrêter à la couette. Là est le confort, la sensation de sécurité, le contrat de confiance mieux qu'à Darty ; le reste n'est qu'enculage de mouches. Cache-moi ton cafard et je te montrerai ma couette. Voilà qui me convient parfaitement.

Je cours avec l'aspirateur, il roule et tangue derrière moi, négocie de périlleux virages, dérapages incontrôlés, tressautements, sa gueule de caïman claque sur le lino. Je manque de patience pour m'appliquer à quoi que ce soit du genre manuel, comme passer l'aspirateur ou me brosser les dents. Le dentiste m'a bien répété cent fois d'y aller doucement si je voulais ralentir le déchaussement précoce de mes dents, et Dieu sait ce que je peux m'inquiéter pour ces petites garces, combien de temps je passe chaque jour à me tenir les mâchoires à deux mains pour contenir mes dents que je sens piaffer vers la sortie, mais pas moyen d'assouplir mon brossage : je m'emmerde tellement avec cette brosse dans la bouche et la main droite occupée, que pour un peu je les arracherais toutes au couteau à huîtres, ces foutues dents, *voilà qui est réglé, et qu'on n'en parle plus*. Trop de nerfs, je crois bien. C'est aussi pourquoi je cours avec l'aspirateur sur les talons et à bout de bras sa gueule qui mange la poussière plus vite que dans un jeu vidéo. Et encore, en quatre ans je n'ai dû nettoyer cet appartement que trois ou quatre fois, et au pas de charge comme ce soir.

Cela fait, je m'affaisse sur le divan, un verre en équilibre précaire à ma droite, un cendrier à ma gauche, et sur les genoux mon carnet de « Brouillons pour Gaëlle » ; je n'y ai rien noté depuis 15 h 15, il est 19 h 42, ça vaudrait le coup de les lui recopier, ces brouillons à Gaëlle, histoire qu'elle se rende compte qu'elle ne m'est pas indispensable, que je peux la délaisser pendant quatre heures vingt-sept minutes facile ; peut-être que ça l'emmerderait, et son emmerdement ferait un précipité rose dans sa conscience pour l'instant engourdie et elle courrait au premier Interflora de Paris pour me faire livrer un bouquet de roses blanches avec une petite carte, *Fanny, il se produit un étrange bouleversement en moi, laisse-moi un peu de temps pour savoir où j'en suis, mets-toi de côté pour moi, je te réserve au tarif plein.* Peut-être accéderais-je à sa requête, voire même me laisserais-je gagner par son trouble, le partagerais-je et en viendrais-je à pratiquer systématiquement l'inversion du sujet du fait précisément de ce trouble intense. Il ne faut rien exclure a priori. Histoire d'épaissir le précipité rose, je la joue même chapelet de banalités ; elle regrettera presque mon grand come-back, s'il consistait simplement à lui écrire que

« 19 h 42

Premier vermouth de la journée et seulement ma cinquième cigarette, en écoutant KC & The Sunshine Band — les seuls blancs qui aient jamais fait du funk aussi bien que les noirs : Get down tonight, *ça sent le samedi.*

Changement de programme : j'ai appris que par inadvertance j'avais invité tout le monde à ce fameux anniversaire — 19 h 50 : le monde ne devrait plus tarder à sonner, je lui lancerai les clés par la fenêtre ;

toi, je serais descendue t'ouvrir moi-même, mais tu as mieux à faire que de célébrer ma naissance, ce miracle dont je ne me remets toujours pas. Je viens malgré tout de nettoyer l'appartement de fond en comble... »

J'abuse un peu, je n'ai même pas passé un coup de serpillière symbolique.

« *... en l'honneur de ces invités surprise que je me suis expédiés de la quatrième dimension...* »

Pourvu que j'aie pensé à les emballer.

« *... tu imagines à quel point mon antre devait être immonde pour que je prenne une telle initiative...* »

Et encore, *immonde* est un mot, or il n'y a pas de mots pour décrire la crasse où je viens de tailler une clairière pour vingt culs approximatifs.

Je n'écris jamais de lettres sentimentales à Gaëlle ; je lui tartine des pages d'anecdotes, je lui fabrique des Polaroïds de mon quotidien, d'interminables cartes postales sans images ponctuées de reproches larvés et injustes, puisqu'elle n'a pas choisi de ne pas m'aimer. Elle dit que j'ai tout ce qu'il faut pour lui plaire mais que ça ne vient pas. Si elle pouvait essayer de se concentrer, je lui en serais très reconnaissante. S'agirait de s'appliquer — si je m'attardais sur sa discothèque de lycéenne je pourrais moi-même très vite me démotiver, et on serait bien avancées. Souvent je me demande comment Gaëlle prendrait cette absence criante de lyrisme dans mes lettres, mais au fond je ne pense pas que cette interrogation soit pertinente ; je crois que Gaëlle s'en battrait les flancs au mixeur. Et en plus, ce mixeur ne blesserait que moi.

Enfin la sonnette, la première fournée, le prétexte béton pour ne pas poursuivre au-delà de l'aspirateur mon humiliant monologue à l'Absente de la soirée. Bravo Fanny, encore une lettre où tu ne te seras pas dévoilée. Continue, mon chou. Entretiens le mystère ; préserve ton amour-propre.

— Planquez-vous !

L'impact de mes clés sur le trottoir projette mes premiers invités surprise — mes cadeaux, merde — jusque dans le caniveau. Par chance le caniveau est sec. Ô infect ruisseau, n'emporte pas avec toi mon anniversaire, mon exultation, mon extase.

X - ON EN A FAIT D'AUTRES

(Vermouth, Trois Monts, Jenlain,
Blanc de Blancs moelleux)

Introduction type de la soirée :

— *Bon anniversaire, Fanny, on met les bouteilles au frigo ?*

— *Merci, il n'y a plus de frigo mais tu peux toujours coincer les bouteilles entre les coussins du divan si tu veux.*

Généralement, quand on me souhaite un bon anniversaire, soit je change de conversation soit j'ai tendance à m'excuser, *Oh, c'est pas grand-chose*, parce que j'ai l'impression qu'on me dit *Merci d'exister, c'est cool*, or je n'envisage pas que quiconque puisse le dire autrement que par simple tact, rien à faire, à chaque fois ça sort tout seul, *Je vous en prie, c'est trois fois rien.* Or, mes nouveaux « amis », c'est-à-dire ceux que j'ai rencontrés par le biais de Céline et qui composeront 90 % du casting ce soir m'épargnent cet épineux problème d'humilité, soit qu'ils oublient tout bêtement le prétexte de cette fête (car mon anniversaire n'est heureusement qu'un prétexte très ordinaire), soit qu'ils n'estiment pas nécessaire de s'attarder sur ce détail. Quand ils débouchent une bouteille, c'est à la santé de leur verre.

J'appelle Héloïse. Elle habite à deux cents mètres et elle ne devrait plus tarder à rappliquer.

— Tu pourrais ramener des verres ? J'ai oublié d'acheter des gobelets et on est déjà une dizaine de ploucs sur les quatre pots à moutarde que Florence m'a gracieusement laissés.

— OK, mais j'arriverai un peu en retard : je fais un henné.

Je retourne vers le groupe, à l'autre bout du salon, côté parquet. *Alors ?* s'enquiert anxieusement Céline — franchement, Céline donnerait tout à ses amis, mais jamais elle ne partagerait son verre ; c'est comme en amour : pas de quartier, pas d'amitié qui compte. Elle fait partie des quatre privilégiés qui disposent d'un pot à moutarde, bien sûr, elle est toujours la première servie vu qu'on ne fait jamais de chichis entre nous et que chacun se sert soi-même, mais elle se sent menacée, faut comprendre, avec tous ces yeux qui butinent sa ration un peu trop distraitement pour ne pas dissimuler de rapacité.

— OK, je transmets, mais elle arrivera un peu en retard : elle fait un henné.

— Un quoi ?

— Un henné.

Céline écarquille les yeux.

— Henné, je répète, agacée. Un henné, quoi.

— *Henné ?*

Merde, les Pygmées ne devaient pas avoir l'air plus paumé devant leur premier phonographe.

— Ben oui, un henné, tu sais ce que c'est qu'un henné ?

Holà, si j'avais su que je la plongerais dans une telle prostration, j'y aurais mis les pincettes.

— Le henné, voyons, c'est un masque facial, et son avantage sur les masques ordinaires, c'est que t'as pas besoin d'ajouter des rondelles de concombre dessus parce que tu vois, c'est une poudre à délayer dans l'eau tiède, et elle contient déjà du concombre déshydraté. Tu piges l'astuce ? Le concombre, il est *dans* le masque. Ingénieux, non ?

Encore une déformation professionnelle, ce type d'exposé pseudo-technique de chez Bidon & Fils. La reine du bobard. J'en ponds à tous vents, et eux ils restent là bouche bée, alors ils gobent, bien entendu. Comme Céline en cet instant à la fois surprise et conquise par ma nouvelle formule dermatologique. Je devrais me lancer dans le commerce. Je vous vendrais votre grand-père en vous persuadant que si vous le punaisez à votre porte d'entrée il hurlera à cent quarante décibels dès qu'un pied-de-biche taquinera votre habitation, et vous n'y verrez que du feu. Vous le punaiserez.

En tout cas le *la* de la soirée est donné : déconnade à vide, l'envie de s'amuser sera la substance de notre amusement, esquissez une mimique, articulez une syllabe et la machine est lancée, un tour de manivelle pour quelques heures de divagation. En l'absence de Gaëlle je peux bien me permettre une séance d'exutoire collectif pour la modique contribution d'une bouteille. Chacun pose sa quote-part sur le parquet, vin cuit, bière, vin blanc, bière, avant de prendre part à la sarabande. La musique gueule, le volume au maximum — par chance, le poste m'appartient ; tout va bien, au fond, il m'est au confort moderne ce que le cœur est à l'ongle de l'annulaire gauche. Au début je choisis les disques, du rap cubain, mexicain, jamaïcain, le rythme et l'exotisme, tradition et modernité, des trucs dansants et bien fichus ; du jazz-rap aussi, seule porte dérobée pour introduire le jazz dans une soirée entre jeunes-qui-se-prennent-pas-la-tête ; Arrested Development — *Wah, ça date ce truc*, remarque quelqu'un ; pas demander si j'étais une inconditionnelle de Bach et puis quoi, si on n'écoutait que ce qui s'est torché dans l'année, autant se brancher sur Skyrock et retenir son souffle. L'inconvénient des amis cool qui initieraient à la légèreté en trois leçons un Lautréamont à l'ère du Prozac, c'est leur manque de goût dans les domaines culturels, disons plutôt *du divertissement* pour éviter l'amidon. Engager une discussion sur la musique ou le cinéma avec eux suppose la même abdication de toute dignité que d'engager un combat de catch dans la boue. Quand je m'en suis aperçue, je me suis vite convertie à la futilité en société — oui, voilà : parlons boulot, chat de ta tante, hernie de ton voisin, cornes de ton ex, sale gueule de Truc, réputation de Machin, ex de Bidule qui a piqué Truc à la corne de ton voisin pendant que le chat se tapait Machin dans le dos de ta tante, quel monde, et qu'est-ce que ça se meuble facilement, une conversation, pourvu qu'on envoie les neurones au lit très tôt avec Miss Vermouth pour baby-sitter pendant qu'on meuble et qu'on meuble, bourrez-moi ce vide, ce mou, cette panse d'apéritif.

J'ai l'air de dénigrer, là, mais en vérité je ne regrette pas ma conversion puisqu'elle ne concerne qu'une fraction de ma personnalité. Que je sois en train de danser sur l'appui de fenêtre à cinq mètres du sol avec un garde-fou juste à la bonne hauteur pour le croche-pied fatal, un final en dégringolade plus distrayant qu'aucune apothéose, que je me trémousse sur le vide et les meilleurs tubes de disco n'implique pas que j'aie cédé un pouce de mon âme ni de ma conscience. Je n'aurais pas payé si cher mon insertion sociale.

Elle est complètement dingue !
Arrête tes conneries, putain !
Merde, mais faites-la descendre !
Quelqu'un pourrait réagir, bordel ?
Fanny, merde, putain, bordel !

Même que je peux figurer parmi les plus performants, à ce petit jeu du samedi soir pétage de tronche remuement de lard. Visez-moi ce cul qui se balance vers le gouffre, troi-ois, deu-eux, un-un : plouf sur le lino, des bras me traînent — propre, le lino ; sans moumoute ; kaï les genoux, bonjour tout le monde, je veux dire, bon-*soir*, yeux à remplir la vitrine de *L'Huîtrière*, ben quoi, je m'amuse, on n'est pas là pour ça, peut-être ? Après tout, c'est mon anniversaire. On me gave de chips et de cacahuètes grillées salées et j'entends Christelle hilare proclamer : *On en a fait d'autres.* Je pouffe mes chips et mes cacahuètes sur le parquet. Vrai qu'on en a fait d'autres, je hoche la tête à me la détacher en pouffant chips et cacahuètes. On m'en fourre d'autres plein la bouche.

Christelle, c'était ma meilleure amie à l'internat, il y a six et sept ans, et elle est restée l'une de mes meilleures amies dans le monde externe. Lâchez-moi avec vos chips. On a gardé de l'internat un stock d'anecdotes à taire la gueule de tout un régiment. Ces cacahuètes ne sont même pas grillées ; même pas vrai ; de quoi poursuivre l'emballage en justice ; lâchez-moi, cacahuètes à trois balles. Si on déballait tous nos vies là sur le parquet sans moumoute, Christelle et moi on battrait toute l'assemblée réunie au riromètre, et si ça s'arrêtait là je dis pas, mais en plus on aligne une bonne douzaine de suicides authentiques (hein, sans compter la frime) en se cotisant, pour preuve qu'en plus de rire on a toujours su de quelle insondable merde on se payait une tranche, dans quel impossible purin on se fendait la tronche, dans quelle improbable bouse on se tapait les côtes.

... cabanes dans la salle d'étude... dix mille façons de faire le mur... spiritisme dans la salle télé... un seau de boue sur la tête, on dégoulinait... le bureau du pro... et le soir où... et attends, tu te rappelles... le toi de l'internat... CPE... et les... be... be... ba...

***

Même pas grillées.

***

— Gaëlle ? C'est Fanny.

— Tiens, je voulais justement t'appeler demain pour ton anniversaire.

— Ah ouais ? je me tortille. Alors tu te rappelais ?

— Quand même, je n'ai pas qu'une passoire dans le crâne.

— Ah ouais ? Enfin, je veux dire, c'est super. Enfin, que tu te sois rappelé. Pas rapport à la passoire, mais c'est seulement moi et. Ben nous, on le fête ce soir, oui, oui, oui. Oh un petit truc, on est quoi ? Une vingtaine à tout casser.

Je me trémousse tellement que je ne tiens plus à la terre que par le fil du téléphone. Neil Armstrong. Encore heureux que je n'aie pas de portable, sinon adieu ici-bas.

— Une vingtaine ? C'est déjà pas mal.

— Ah ouais, je concède. Enfin voilà, je m'écrie (pourquoi je crie, d'ailleurs ?), je voulais que tu fasses une petite apparition ne serait-ce que téléphonique dans la soirée, tu vois que je pense toujours à toi ?

— Oui, je vois ça...

Soudain je me rappelle que je suis celle qui a besoin d'être rassurée sur ce genre de point, *je pense à toi, tu as une place dans ma tête* et toute la sérénade. Moi ; pas Gaëlle.

— Enfin bref, ça fait un peu vide sans toi, mais rien que de t'entendre, ça va mieux.

Comme si elle s'inquiétait des effets de son absence sur mon moral. Parfois, la sérénité, c'est simple comme de foutre sa téléphonite en veilleuse. Heureusement, Gaëlle me parle ensuite de sa soirée avec sa petite sœur. Tout semble si simple et calme quand elle parle de sa petite sœur. Gaëlle sort finalement très peu, s'occupe pas mal de mioches, elle qu'on m'a si souvent présentée comme une allumeuse, une dynamiteuse de fêtes entre amis et de codes de l'honneur ; elle me parle de si loin, loin, loin de ce monde à texture 50 % ragots et 50 % pure viande. Je souris de sentir son bonheur sans éclat envahir mes veines, anesthésier les bulles d'alcool, s'étendre nonchalamment sur leurs blancs ; bientôt, j'en deviens jalouse de sa petite sœur. Le vermouth tourne rarement au marshmallow.

— Je t'appelle demain, conclut Gaëlle.

Malgré ce coup de fil anticipateur, elle ne se sent donc pas exemptée de me souhaiter un bon anniversaire en temps voulu ; elle ne me le souhaitera donc pas seulement par formalité, elle y mettra du cœur, elle trouve vraiment ça cool que j'existe. Gaëlle trouve ça cool que — Gaëlle...

Descends, Fanny, bordel, c'est pas drôle !
Non merde, quoi, arrête de boire, Fanny !
Putain non, elle déconne à mort.
Oh c'est pas vrai...
On en a fait d'autres !

Fanny, faut que tu te calmes, maintenant. Allez, viens.

Regarde-moi, le ciel. Je suis des tiens. Tout ce que je fais je le fais à fond, même dans la connerie, je ne connais pas de demi-mesure. Je poursuis mon âme pas à pas jusque dans ses plus pitoyables errements. Je ne la quitte pas d'une semelle. S'il faut crever de stupidité, je le ferai, je serai celle qui aura exploré la stupidité dans ses plus tortueux détours, ses plus profonds recoins, jusqu'à la mort. Pas de circonspection, pas de tiédeur, de pusillanimité. Je serai entière même s'il faut que je le sois en miettes.

XI - C'EST JUSTE UN SAMEDI SOIR
(La même chose ; Martini rouge)

Les bouteilles s'essoufflent ; des culs se lèvent, à commencer par celui de David, le frère de Florence : il a assez bu pour un conducteur, s'excuse-t-il. Il est tout excusé. Christelle et moi dansons une bourrée berrichonne pour l'occasion, sur une mouture vaguement techno d'un folklore que j'estimerais celte. Va pour le pluriethnisme, avec un fil conducteur bourrin. C'est un disque de Linda, j'ai les mains propres ; et puis d'ici quelques jours je ne verrai plus mes voisins, alors mes invités peuvent bien m'arranger une réputation, pour le temps que j'aurai à en pâtir. Angéla et Carole se joignent à nous, wop, wop, wop, on danse avec les coudes et les genoux, on martèle le plancher. On s'échauffe pour la deuxième mi-temps.

Nos bouteilles sont presque venues à expiration, nous nous pinçons le nez pour avaler en minuscules gorgées le Blanc de Blancs moelleux et nous épions pour découvrir qui ne se pince pas le nez, qui aime la vinasse blanche ici, qui l'a introduite chez moi en douce. Dans quelques grimaces nous en aurons fini avec cette piquette, il faudra prendre des mesures énergiques, et dans ces cas-là je n'hésite pas à me sacrifier :

— Alors, je me frotte les mains : on se cautérise ?

Celle-là, *on se cautérise*, je la ressors dès que nécessaire, c'est-à-dire chaque fois que je me vois dans l'obligation de réclamer la participation aux frais généraux des négligents et des pique-assiette. Je déteste tellement réclamer que j'aimerais avoir un compte en banque gros comme une autruche à me faire plumer plutôt que de me coltiner la tâche ingrate de collecter la coopérative. Mais je suis aussi fauchée que les autres alors je me fais violence et je me contente d'enrober ma requête dans un calembour crétin (un calembour, quoi), et je me sens déjà un peu moins mesquine. Je fais mine de bien le vivre.

En attendant, sans doute apitoyées par le dépouillement de mon intérieur, Carole et Angéla prennent ma déco en main, et pourquoi pas l'agrémenter de Chaton Miteux, ce tas inerte qu'elles ont aperçu en bas de chez moi par la fenêtre ?

— Il doit avoir froid, décide Angéla, et se tournant vers moi avec l'empressement d'une infirmière de série brésilienne elle me demande la permission d'utiliser mon torchon, *le* torchon que Florence m'a laissé pour essuyer mes quatre verres, afin d'y recueillir Sa Purulence.

— Ben… OK, je cède, mue par ce satané sens de l'hospitalité à tout prix que m'ont inculqué mes parents — ils sont du style à regarder le gamin survolté de leurs invités taper à l'ordinateur avec un marteau dans leur salon sans se départir d'un sourire consensuel, voire attendri.

Carole et Angéla remontent chez moi avec Chaton Miteux emmitouflé dans mon torchon comme un petit Jésus de crèche, sauf que le petit Jésus en question ressemble à un camp de vacances pur asticots avec des poils autour, une infection à défier les inventions les plus gores de David Cronenberg. Où la nature surpasse l'art. Je parviens pourtant miraculeusement à brider mon désir forcené de jeter l'immondice par la fenêtre, retour à la case départ par voie expresse, et je laisse les deux filles souffler des bisous gâteux dans la pelure gâtée du matou, sale mutant miteux. Je sais tellement bien recevoir que je ne vomis même pas.

— Moi oui, je viens de vomir, dit Florence en repoussant la porte des toilettes ; ça va mieux, me rassure-t-elle en vidant le dernier fond de vin blanc dans son verre.

Elle ne participe à aucune discussion, boit son vin blanc à gorgées homéopathiques et tire des bouffées sans joie de sa cigarette ; elle semble fascinée, hypnotisée, absorbée par le lino. Elle écrase son mégot, livide.

— Quelqu'un peut me ramener chez moi ? elle demande, et sans attendre de réponse, sans un au revoir elle se dirige vers la sortie d'un pas somnambulique.

Alors tout le monde se lève et étire ses courbatures comme si elle avait proposé de la Danette, sauf que la Danette en question a bien macéré ses seize degrés. Peut-être bien que le *On se cautérise* a fait son temps.

— On va chez Fifi ? suggère quelqu'un, et personne ne prend la peine de répondre, chacun enfile sa veste et s'époussette le fond de culotte.

— Qui monte avec qui ?

— J'ai pas tout à fait dessoûlé — je le remarque au gondolement des façades qui font la holà rien que pour nous à une vitesse ridicule, surtout quand la voiture mange les bordures, c'est-à-dire à peu près dans tous les virages.

— Tant que tu conduis pas, me réconforte la conductrice, mais je ne reconnais pas sa voix et je ne vois pas son visage parce que l'appui-tête est trop élevé, ou que je suis avachie trop profondément sur la banquette arrière. J'essaie de me rappeler avec qui je suis montée en fin de compte mais le temps file encore plus vite que nous et pas moyen de remettre la main sur ce détail. Je ne sais même pas à qui j'ai confié ma vie pour le trajet ; il me reste à espérer que tout tanguait moins quand j'ai fait mon choix — si c'était à refaire en cet instant, je serais foutue de grimper avec Bugs Bunny en toute quiétude pour peu qu'il ait fait un nœud à ses oreilles.

Chez Fifi à l'heure de pointe un samedi soir, on avance vers le comptoir comme dans un bayou, avec la vase jusqu'à la poitrine ; l'alcool aidant, ou simplement la distraction, on en viendrait presque à oublier qu'on a des jambes, ou à vérifier en fin de soirée qu'on n'est pas sorti avec celles d'un autre, dans la confusion. À perte de vue dans le café, les bustes ondulent comme des roseaux sous les bourrasques de musique. Nat, la patronne du bar, danse sur le comptoir, le sourire extasié et les bras en l'air, c'est vers elle en vérité que la plupart des gens battent des mains par-dessus la tête. Pour électrifier une foule gay-et-lesbienne, il y a Madonna, puis il y a les patronnes de cafés gays-et-lesbiens. Surtout Nat. Elle ôte ses lunettes noires et me les tend, alors je les pose sur mon nez et je continue à danser pareil, sans plus d'éclat mais avec des lunettes noires, les jambes invisibles sur leur quart de mètre carré ; la fille du quart voisin, buste de gauche, danse avec le menton posé sur l'épaule droite — celle qui touche mon épaule gauche — et elle sourit ; je lui renvoie de temps à autre ce sourire, mais pas trop fréquemment parce que alors ça signifie que nous dansons ensemble, or à cause des lunettes noires je me sens trop collective pour m'engager dans une relation à deux si familière ; tant que j'arbore ces lunettes, je fais pour ainsi dire partie du staff.

Je me lasse assez vite de tout ceci, je rends les lunettes et j'escalade des rotules pour m'asseoir sur une chaise coincée entre le mur et les genoux, sans doute la dernière chaise libre du café, ensuite de quoi je m'aperçois que je connais certains membres ; je leur dis *Salut*, ils me demandent ce que je deviens mais je ne suis certainement pas d'attaque pour la métaphysique alors je me dérobe, je préfère parler de Gaëlle.

— Elle ne veut pas s'avouer qu'elle m'aime, je leur explique ; c'est contrariant mais avec un peu de patience on y arrivera.

— À quoi ? s'enquiert une connaissance goguenarde.

— Ben tiens, je réponds sur le ton de l'évidence, à accomplir notre destin, tout bêtement.

— Je sais pas avec Gaëlle, remarque la Goguenarde, mais avec la petite brune qui danse près du bar, sûr que t'as un ticket.

Oh, encore elle. Le buste de gauche.

— Drague un peu, me conseille quelqu'un, ça te changera les idées.

— Je sais, dis-je, pas de méthode spéciale, suffit d'improviser.

Il y a une langue dans ma bouche qui ne m'appartient pas, ni à Gaëlle vu qu'elle me fait autant d'effet qu'un esquimau glacé arôme colorants. Je m'en dégage assez brutalement pour surprendre la bouche coupable, propriétaire de l'intruse, et je l'identifie à son sourire content auquel on a envie de répondre *Y a pas de quoi* — je ne saurais pas le décrire autrement, ni la fille autour du sourire ; ayant un peu bu, j'avoue que j'aurais du mal à décrire cette fille même en la regardant longtemps avec les yeux ouverts très grands. J'espère qu'elle n'est pas trop repoussante, en tout cas de son côté elle ne semble pas me trouver trop repoussante, ou alors elle ne se rend pas compte parce qu'elle me colle de trop près.

— Tu t'appelles comment, déjà ? je demande abruptement, comme si je me réveillais en sursaut.

— Je vais finir par te l'écrire…

— C'est un drôle de prénom, je commente.

— Je m'appelle Laurie.

— Carbonara, je me présente ; Fanny Carbonara.

— Oui, moi, je me rappelle.

— Eh ben, ça te fait beaucoup de prénoms, je glousse, et mon gloussement me parvient au ralenti depuis le bout d'un tunnel humide.

— Et ça t'arrive d'être sérieuse ?

— Pour quoi faire ?

— OK, convient Marjorie. On va chez moi ?

— Désolée, j'ai mes règles.

Même pas vrai. Comme quoi j'ai quand même conservé quelques réflexes de première nécessité.

— C'est pas grave, on a tout le temps, me rassure Aurélie en caressant ma main entre les siennes comme on étale le ketchup d'un hamburger avec le pain — cool : toute la vie devant nous.

— Écoute, Marie, qu'est-ce que tu attends, au juste ? Je veux dire, dans la vie, qu'est-ce que tu cherches ?

Je me détourne vers la lampe derrière son épaule, une lampe genre tunisien ; Lydie doit méditer à s'en frire les neurones parce qu'elle n'a pas encore répondu que j'ai déjà repéré toutes les petites fioritures de la lampe, toutes les fentes et les couleurs qui dérogent à son apparente symétrie ; quoi que j'essaie d'en faire, mes yeux retournent à cette lampe avec une insistance de moustique ecstasié.

— Le bonheur, crache enfin Amélie, tout simplement le bonheur.

— Bon, j'acquiesce, rassérénée — dans ce cas elle comprendra très vite qu'il vaut mieux ne pas me chercher. À voir : le sourire content s'est élargi comme une bouche d'aération sur le visage que je ne saurais décrire.

— J'ai l'impression de vivre un rêve, dit la fille.

— Alors qu'en fait, je la mets en garde, c'est juste un samedi soir. Peu importe, les rêves ont une fin comme les samedis soir. D'ailleurs je crois que je vais penser à me rentrer, là, tant que je me rappelle à peu près dans quel quartier j'habite.

— Je peux te raccompagner ?

— Euh, j'hésite. Sachant que j'ai mes règles ? Et des règles carabinées, encore ?

— Bien sûr, je veux juste rester encore un peu avec toi.

J'essaie de fixer son regard pour y vérifier sa bonne foi, mais ses yeux tournent trop vite.

— Sans arrière-pensée, confirme Lorelei.

— OK, dis-je, si c'est juste mon esprit qui te séduit.

La fille — son prénom m'échappe — part d'un grand éclat de rire.

— T'es incroyable, toi, elle dit.

— Dans mon dialecte on dit *ivre morte*, je précise modestement.

J'avance dans la foule l'épaule en avant pour déblayer les déchets du samedi soir, les types avec des voix de duchesse décrépite et des yeux de morue apoplectique, les entités biologiques dont la féminité s'est honteusement recroquevillée dans la culotte depuis si longtemps qu'on s'attendrait à leur voir pousser la barbe, les petits jeunes en latex avec des plumeaux sur la tête et sans doute aussi ailleurs, les nichons de deux kilos pièce moulés dans des T-shirts « Pelotez ici » et surmontés de têtes hagardes ; je fais le chasse-neige dans cet ersatz poudreux d'humanité avec dans mon sillage une fille dont je ne connais même pas le prénom et que je ne suis pas sûre de reconnaître si un jour nos chemins se croisent à nouveau malencontreusement.

— Alors, on dirait que c'est le grand amour ? me gueule quelqu'un au passage, comme si on n'était pas samedi soir dans un bar à la mode.

Merde, je connais des dizaines de personnes qui flirtent impunément à tour de bras tous les week-ends, et pour une fois que je me laisse aller à les imiter parce que j'ai un peu bu, tout le café va me demander la liste de mariage. C'est trop injuste. Du coup je laisse la fille qui me colle au cul régler mes trois Martini rouges mal dosés.

XII - CETTE FOIS, ÇA VA LOIN
(Nescafé, jus d'orange)

Argh, virez-moi ce téléphone ! Non — ne faites surtout pas ça. Plutôt un séjour au trou avec *L'Être et le Néant* pour toute compagnie qu'une semaine sans téléphone.

— Quoi ? j'aboie dans le combiné.

— Ouais, c'est Laurie.

— Je vous demande pardon ?

— Laurie. Tu te rappelles pas ? Hier soir, chez Fifi…

— Oh. L'est quelle heure ?

— Pourquoi ? T'es pas réveillée ?

— Non, tu es en liaison avec un répondeur téléphonique.

— Je suis bête, elle rigole. Il est neuf heures.

— De quel jour ?

— Dimanche.

— Oh Seigneur. Excuse-moi, je vais rater mon train.

Je raccroche. Cette fameuse Laurie doit à peine recevoir la tonalité *occupé* quand je commence à me décaper sous une douche brûlante comme un pot de

Nutella qu'on veut convertir en verre : une nuit de crasse s'effiloche sur ma peau, je m'en gratte et je m'en racle, je me dépèce du superflu. Si seulement je pouvais me râper la tronche de ces boutons, de ces grains blancs gonflés d'alcool, de ces rigoles en croûte rouge creusées par le tabac sur les ailes de mon nez, si seulement un brossage suffisait à remettre ces gencives d'aplomb, alors je me sentirais toute neuve, il me suffirait de serrer les fesses pour contenir mes tremblements et il n'y paraîtrait plus. J'aurais l'air saine comme au premier rot. Il ne resterait au plus que mes yeux pour témoigner. J'avoue qu'ils décèlent parfois une béance quasi métaphysique ; surtout les jours de tête dans le cul, j'ai les yeux comme deux nombrils. Ce matin, par exemple. Idéal pour une fête de famille en mon honneur ; *elle tient encore debout en un seul morceau à vingt-cinq ans, ça s'arrose. Bravo, ma chérie, nous sommes tous fiers de toi. Tu en as fait, du chemin, en un quart de siècle.* Arrêtez, vous allez me faire rougir.

Avant l'arrivée de la famille je peux m'accrocher. Papa et maman séparément je leur parle comme à des copains, mais nous trois réunis à l'apéro, ça risque d'être encore d'une gaieté à reléguer tout Losey au rayon « Comédie », voire chez Disney. Depuis qu'il carbure aux antidépresseurs, papa n'écoute plus de musique — plus de musique dans sa vie, triste et inquiétant comme une panne de courant sur le Strip de Las Vegas. Il fallait bien une telle circonstance pour me faire regretter Pink Floyd. Si je suivais mes impulsions je remplirais la maison de bossa nova, j'abreuverais toutes ces petites oreilles de bon vieux bonheur rythmique à l'entonnoir, mais la pesanteur de l'atmosphère n'incite pas précisément à l'audace. Les week-ends où je retourne chez mes parents, je me contente donc de trop parler pour combler ce silence contre nature, et ce faisant je hoche la tête et je cherche une vérité de premier ordre au fond de mon verre avec toute la concentration requise. Allez savoir par quel mécanisme psychique bien tordu j'espère faire passer le malaise de cette façon. Je pose mon verre sur la table du salon, je tapote ma cigarette au bord du cendrier, je reprends mon verre, pas encore de cendre à détacher mais je tapote quand même, qui sait ? ça pourrait venir miraculeusement, et alors la musique exploserait comme dans *Beetlejuice* et on danserait tous autour de la table basse et maman chanterait *Day-O* avec la voix de Harry Belafonte. Une fois de temps en temps, un bon petit poltergeist ne nous ferait pas de mal. En attendant, je parle généralement avec une indécente profusion de détails, des anecdotes de seconde main par chapelets, à peine le temps de me demander pourquoi je raconte telle idiotie que je suis déjà lancée dans la suivante ; par chance, d'ineptie en ineptie mon verre se vide et l'apéro fait son chemin dans mes veines et, le croirez-vous, je finis presque par mettre la conviction à ma logorrhée.

On me dira : *pose-leur des questions sur ce qu'ils vivent, merde, c'est tes parents.* Il est vrai que depuis la fin de ma dépression les histoires des gens ne me donnent plus envie de répondre *Bonne nuit à vous aussi*, et que je m'intéresse enfin à ce qu'ils me racontent ; l'ennui, c'est que je ne me rappelle pas toujours ce que c'est, à cause de l'alcool. Je mélange tout, les ulcères des uns et les examens des autres, leurs anniversaires, leurs vacances, leurs horaires, et de crainte de me trahir j'attends toujours qu'ils lâchent un indice pour m'écrier *Ah mais oui, au fait : et alors, cet électrocardiogramme ? ce conseil de classe ?* Si seulement mes parents ne se la jouaient pas si coquets, s'ils me tendaient la perche un peu plus gracieusement, je ne leur semblerais pas si obnubilée par moi-même.

Ce téléphone va finir par me faire rater mon train. Bien sûr rien ne m'oblige à répondre, mais si c'était Gaëlle ou le standard du Bonheur Absolu qui voulaient me filer un scoop.

— Oui, je dis sur un ton pressé mais pas trop hostile.

— Ouais, c'est encore moi, Laurie. Pourquoi tu m'as raccroché au nez, tout à l'heure ?

— Je t'ai pas raccroché au nez : je t'ai dit que j'allais rater mon train, ça voulait dire *À plus tard.*

— Et ça va, tu l'as pas raté pour finir ? elle ricane.

— Non mais c'est pas un gros bobard. Franchement. Là j'allais justement sortir, je vais même devoir prendre mes jambes à mon cou.

— Attends ! elle m'interrompt d'une voix stridente — comment a-t-elle deviné que je ne crache jamais sur les bonnes vieilles recettes ? Une toute petite minute, elle se précipite : où tu vas comme ça, en train ? Je ne veux pas m'immiscer dans tes affaires, mais tu étais censée m'appeler pour qu'on se voie aujourd'hui.

— Impossible que j'aie dit ça…

— Pourquoi tu l'as fait, elle me coupe.

— … puisque j'ai une fête de famille.

(Mais dis-lui, bon sang, que tu ne la reconnaîtrais pas dans la rue même si elle portait un badge « C'est moi ».)

— Génial, elle boude, déjà une scène de ménage. Alors on se voit quand ?

— Sans doute qu'on se croisera à nouveau chez Fifi un de ces soirs.

— [...]

— On devrait pouvoir se retrouver dans quarante mètres carrés, même à raison de quatre habitants au mètre carré, non ?

— Je vois, elle chuchote : c'est fini ? C'est ça ?

— Quoi donc ?

— Mais nous, bordel ! Nous !

Nous ? Dieu Tout-Puissant, mais ce *nous* n'existe pas dans les pires fantasmes du Docteur Moreau. Allons, courage, Fanny Carbonara, assume ton samedi soir aux lardons.

— Tu veux dire que ça a commencé ? je tâtonne.

— Je vois, elle soupire, puis elle se tait.

— Écoute, j'ai pas trop le temps de savourer tes pauses mélodramatiques ce matin, alors si tu pouvais me gueuler mes quatre vérités une bonne fois et que je prenne ce train...

— T'es une vraie salope, en fait ! elle explose.

— Doucement, hein, je ne supporte pas les filles qui jurent comme des motards après le premier mètre de Bud, putain, ça me révulse carrément.

— Si je m'attendais à un coup pareil, la voilà repartie. T'es amnésique ou quoi ?

— Non, je fais juste la fête le samedi soir, comme tout le monde.

— Tu veux dire que tu étais *tellement* ivre ?

— Ne prétends pas que ça ne se voyait pas.

— Ben pas tant que ça, elle dit d'une voix méditative. Pas tant que ça.

— Désolée.

— Hm-hm, elle acquiesce. Et tu fais toujours des serments éternels, le samedi soir ?

— Crois-moi si tu veux, mais tu étais mon premier flirt d'un soir, et *a priori* le dernier. Encore désolée. Et je ne le dis pas par politesse ; je contemple les dégâts de mon goût pour la fête avec la même horreur que Norman Bates quand il découvre ce que sa soi-disant mère, à savoir lui-même, a fichu de Janet Leigh, et du rideau de douche avec. Pardonnez-moi mon Père parce que j'ai péché dans les grandes largeurs. Je ne me suis pas confessée depuis ma communion, la date doit être indiquée sur le menu du repas, je devrais pouvoir le retrouver au fond d'un tiroir chez mes parents. J'ai abusé de la naïveté d'une fille qui apparemment s'appelle Laurie mais c'est à peu près tout ce que je sais d'elle, si ça tombe elle a des microbes et j'ai donc risqué de choper une saleté alors que j'ai la responsabilité de deux arrangements sur nez d'otarie, et pour mettre le comble à ma honte j'ai pris livraison de la possible saloperie contagieuse devant un public fourni. Je ne mets plus un pied dehors sans masque de Mickey.

— Fallait bien que ça tombe sur quelqu'un, conclut sagement Laurie.

— Hm-hm. Bon, je vais devoir…

— Ton train, je sais. Allez, cours.

— Vraiment désolée.

— Oh, je me remettrai.

Même le dimanche faut que je coure, que je sois à la bourre. Tu parles d'une vie, on nous fait trotter au rythme d'une mule de trait, et en plus dans mon cas c'est comme faire courir une citrouille sur des aiguilles à tricoter. Je ne peux pas. Je marche sans doute très vite, mais quand même moins vite que le train, malgré le James Taylor Quartet qui me flambe les miches par walkman interposé, je me fais l'effet d'un routier qui dodelinerait de la tête sur son volant pour faire avancer plus vite un convoi exceptionnel. Je n'ai guère plus de contrôle sur mon corps, et si encore je pouvais me consoler par la maîtrise de mes actes, leur accord avec ma volonté et tout, mais compte là-dessus aussi. N'importe qui d'un peu sensé à ma place se ferait horreur, et moi je m'obstine à fêter ma décrépitude et à me décrépir dans des fêtes.

Voilà : le constat est posé, ma conscience illuminée mieux qu'un sapin de Noël ; sous les tremblements de mes cuites je peux sentir un frisson d'amplitude supérieure me remonter des tréfonds : je me tiens au seuil d'une ère nouvelle. Aujourd'hui, un seul apéro, pour la convivialité, et basta.

L'idée d'apprendre ce que je vis au détour d'une conversation m'enchante autant que celle de traîner mon corps comme un vieux chien obèse au bout d'une ficelle usée. La révolution gronde en moi. Martini & Rossi, vous pouvez déposer votre bilan. Ainsi parla Fanny Carbonara — cette fois, ça va loin.

XIII - TU TREMBLES, MA FILLE

(Martini rouge)

Le dimanche matin, les rues de Lille sont assez peu fréquentées pour que je puisse ressentir la musique à ma manière sans qu'un quelconque abruti se fourre dans le crâne que je me donne en spectacle. Particulièrement appréciable quand j'écoute le *Fiesta Time* de Chico O'Farrill. Personne dans mon entourage n'a jamais compris pourquoi ce morceau entre tous me rend si électrique, pourquoi aucun autre au monde ne fait d'origamis plus compliqués avec ma tripaille. Personne ne perçoit la profonde mélancolie mélodique au-delà du rythme *a priori* dansant. Ces cuivres ne veulent pas finir, je ne connais rien de plus intense que leur apothéose agonisante, d'une beauté carrément indécente. Moi, toute cette beauté me fait dresser les poils sur les jambes, sous ce soleil de bientôt midi, et alors même que je me suis rasé les jambes pas plus tard que ce matin, à l'époque d'avant mon premier bol d'air, où je ne me rappelais pas encore que je n'ai plus de vie sexuelle à préserver des picotements ; moi, ce morceau me fait dresser les cheveux sur la tête, malgré le masque assouplissant

Fructis, je suis parée pour relever la garde à Buckingham Palace ; cette musique me met toute en poils, et en poils de brune encore. Rien à foutre s'il se trouve quelques trouble-fête pour surprendre ma disgrâce en plein exercice, je me tortille sur les trottoirs déserts le nez en l'air comme une otarie sans ballon sur sa place, et je me sens à nouveau de taille à affronter ma pourriture, ses ridicules et l'image qu'autrui me renvoie de l'une comme des autres, d'humeur à suivre mon âme dans tous ses « Jacques a dit ». Je m'en tape, d'abord, je suis jeune et je vis à fond les manettes. Je ne serai jamais un bibelot de soixante-dix ans bien conservé, OK, la belle affaire.

Vingt minutes de retard, ça ne s'invente pas. Comment le faire encaisser à papa et maman alors qu'il n'y a même pas eu de changement horaire cette nuit ? Pourquoi je suis née en septembre ? Pourquoi les gens qui n'aiment pas ce que je fais de ma vie persistent-ils à fêter mon anniversaire ? Pourquoi tiennent-ils à le fêter le lendemain de mon premier flirt à la plouc du samedi soir ? Je n'aime pas ça, cette vague impression que l'hécatombe guette. Et en plus j'ai oublié mon ciré ; trop con. Trop menaçant. Par chance je n'ai qu'à longer le quai 1 pour déposer un peu du poids qui me mine l'estomac à la consigne automatique, où Céline doit tirer son coma personnel.

Tiens oui, elle est collée à la vitre de son guichet, comme un Garfield à ventouses sauf qu'elle n'est pas rayée.

— T'es en avance, dit-elle. Je finis à onze heures trente, encore une demi-heure.

— Je te plains, mais je ne vois pas en quoi ton infortune me met en avance.

— T'es pas venue me chercher ?

On ne peut pas se fier à un poivrot. Je me demande pourquoi je prends encore la peine de leur communiquer des informations du type *dimanche matin je rentre chez mes parents pour mon anniversaire*, sachant que le dimanche ils auront oublié quel anniversaire ils seront en train de cuver, oublié que j'ai un anniversaire, des parents, oublié qu'un jour je suis née, sortie d'un ventre en braillant.

— Non, Céline. Une séance d'hypnose ferait resurgir à ta conscience qu'au moment où je te parle je suis censée me trouver dans un train, vers Lens et un gâteau surmonté de vingt-cinq bougies. Il y a donc eu un couac dans mon destin, et c'est ce couac qui te vaut l'honneur de ma visite.

— Je pensais qu'on fêtait ton anniversaire en tête à tête cet après-midi. Merci de me prévenir que tu as changé de programme.

— Original, je dis. Je vais finir par te laisser tenir mon agenda.

— Déconne pas, tu me l'as proposé hier soir.

— Ah non, je proteste : pas deux fois le même tour !

— Tu te perds, ma petite.

— Erreur, ma grande : les absences, je me permets de te rappeler que c'est *ta* spécialité.

— Alors on dirait bien que je vais devoir partager la palme et ses prérogatives. On en vient tous là un jour ou l'autre de toute façon, dans la galaxie Dépouille.

— Peut-être bien mais je ne crois pas avoir atteint ce stade, et puis à moins qu'on n'ait le don d'ubiquité dans ta galaxie, quelqu'un a déjà comblé mon absence d'hier soir. Je vous laisse vous mettre d'accord sur mes faits et gestes, puisqu'il semblerait qu'ils ne soient plus de mon ressort. À vous de gérer ma mémoire ; partagez-vous la garde de la petite, mais s'il vous plaît ne m'entraînez pas dans la querelle.

— C'est vrai que tu t'es donnée à fond, hier soir, à ce qu'on m'a raconté. Moi, j'étais pas beaucoup plus fraîche mais au moins, le comptoir mis à part, je me suis frottée contre personne. En tout cas tu m'as proposé le tête-à-tête de cet après-midi bien avant la phase terminale, on était encore chez toi pour te dire, aussi tu vois qu'y a pas à se partager tes absences : tu les as distribuées assez généreusement.

— Oh, ça va, je grommelle. Si tu crois que j'aime me réveiller le dimanche avec deux femmes bafouées sur le dos, dont une nouvelle fiancée qui pourrait aussi bien avoir un bec et des branchies pour ce que je me souviens d'elle…

— Tu pousses un peu, là. Que tu disjonctes, passe encore, mais qu'ensuite tu joues la victime des femelles affamées, ça devient lourd. Alors pour finir on le fête ensemble, cet anniversaire, ou quoi ?

— Dans le genre bouché… Mes pa-rents m'attendent, MES pa-RENTS m'at-TEN-dent, mes PA-rents *M'AT-tendent…*

— Oh ! c'est bon, épargne-moi l'italique, j'ai capté. Te sens pas toujours obligée de répondre avec agressivité à ce qu'on te dit, on va finir par croire que tu vis mal une ménopause précoce, je te promets, ça devient louche.

Ben tiens… C'est si facile de croire les gens aigris un jour qu'ils se sentent légitimement d'humeur irritable, comme leur peau et leurs intestins, tout simplement parce qu'ils mènent une vie de dingues avec même pas le temps de dessoûler entre leur boulot, le lancement de leur livre, leur maîtresse, leur flirt du samedi soir et leur anniversaire. Enduisez-moi de plâtre frais, enroulez-moi dans des bandelettes, étendez-moi dans un endroit chaud et on reparle de tout ça au démoulage. Pour le moment je suis un kit dépareillé, rien de ce que je dis ou fais ne devrait pouvoir être retenu contre moi.

— Pourquoi tu insistes, puisque tu sais que je dois rentrer chez mes parents ? D'ailleurs je ne vois pas à quoi un tête-à-tête pourrait nous mener, vu qu'on en arrive à ne communiquer qu'en aboyant.

— On avait prévu une petite fête, pas un règlement de comptes.

Attends un peu, je vais te souffler, moi. Voilà un scoop rien que pour toi :

— Je t'ai pas dit ? J'ai décidé de ne plus faire la fête que le samedi soir désormais, je déclare fièrement. J'arrête l'alcool et toutes les conneries.

— T'y arriveras jamais, dit Céline, pas soufflée du tout en allumant une cigarette, le tout avec un dédain à vous envoyer du deux cent mille volts des orteils au cuir chevelu. (C'est ça, joue les blasées, les désabusées. T'en foutre plein la vue.) Tu tiendras peut-être jusqu'à ce soir si tu te couches tôt, et parce que t'as des réserves, elle en rajoute, mais tes batteries tarderont pas à hurler *À boire !* Enfin c'est con que t'arrêtes précisément aujourd'hui, je veux dire pour la journée, parce que je comptais acheter une bouteille de Martini à l'épicerie de la rue Saint-André, là, en rentrant, et de quoi faire des amuse-gueules. Qu'est-ce que tu dirais d'avocat-crevettes ? Tu préfères peut-être melon-jambon de Parme ? Bref, on aurait écouté Lauryn Hill, picoré des amuse-gueules, trinqué à ta santé et discuté un peu de tout sans se prendre la tête. Mais bon, si tu dois rentrer...

Bravo, envoie les sirènes. Tu sais bien qu'Ulysse, c'est pas moi, même pas dans une autre vie.

— Je suis embêtée, j'explique, parce que d'un côté je te l'ai proposé, cet apéro, bien que je n'en aie aucun souvenir — j'ai malgré tout engagé ma parole — et puis ce n'est pas en fuyant la discussion qu'on arrivera à sauver quelques babioles de notre ruine, mais d'un autre côté, qu'est-ce que je vais dire à mes parents ?

Raté ton train ? Pourtant il n'y a pas eu de changement horaire, cette nuit.

— Tiens oui, tu as remarqué aussi. Comme quoi on ne fait pas toujours les mêmes erreurs, je ricane pour masquer l'embarras et le trac, parfois on en fait de nouvelles.

Tu as encore trop bu hier soir, c'est ça ?

— Ben c'est mon anniversaire...

Je me rappelle, oui, j'ai passé la matinée à préparer la maison pour bien accueillir les invités à cette occasion précise, et mon samedi soir à faire les courses avec ton père.

Seigneur, protégez-moi.

Remarque que ce n'est pas ton anniversaire toutes les semaines. Tu bois trop, surtout pour une fille, et surtout à ton âge, un point c'est tout.

— Je ne vois pas ce qui te permet de dire ça, je m'offusque, et il ne me manque plus que de poser une main sur le cœur pour mériter une volée de gifles pleines de bagues compliquées.

Mais enfin, tu trembles, ma fille !

— Tu vois à travers le téléphone, maintenant ?

Je te dis en général. *Tu crois qu'une mère ne remarque pas ce genre de détails ? Tu es toujours tremblotante.*

— Bientôt l'automne, je fais mine d'acquiescer, comme si maman venait seulement de se rappeler combien je suis frileuse — vrai, je suis réputée pour ça.

Et puis l'émotion aussi, sans doute. L'appréhension. Parkinson.

Oui, soupire maman, pas loin d'excédée, *on en reparlera. Bon, tu arrives à quelle heure ?*

J'aurais dû me douter que l'affaire ne serait pas si vite classée ; surtout en étant télépro, j'aurais dû me rappeler qu'on n'annule pas un rendez-vous, mais qu'on le reporte. On le *repositionne*. Et si je proposais dimanche prochain, l'air de pas y toucher ? Si j'y mettais assez de désinvolture, peut-être que l'énormité passerait inaperçue. Suggestion par l'hypnose, où mon imbécillité heureuse suggérerait.

— C'est-à-dire que les trains, le dimanche, ils sont très, très espacés. Là il ne doit plus y en avoir avant seize heures ou dans ces eaux-là.

Ha !

Je m'ébroue d'un frisson glacé.

— Dans ces conditions, je poursuis bravement, je me demande si ça vaut encore la peine.

Bon, s'impatiente maman, lâche le morceau.

Rien cacher à une mère.

— Je t'ai parlé de ma nouvelle copine, Gaëlle — tu sais, celle qui organise un festival de musique à Paris ? Bon, c'est donc ma nouvelle copine, inutile de dire qu'on se voit extrêmement peu, or elle est rentrée ce week-end pour mon anniversaire, tu vois. Je n'avais pas prévu qu'elle se rappellerait — vu que c'est seulement moi, enfin tout ça, quoi — mais si, elle s'est rappelé et elle est rentrée à Lille. Voilà.

Et pourquoi tu me racontes tout ça, exactement ? Pour me prévenir que tu ne prendras pas non plus le prochain train ?

— Voilà.

Je me racle la gorge. Je ne mens pas vraiment, j'appellerais plutôt ce procédé de la fabulation, rien de répréhensible, à considérer que la fabulation est en quelque sorte la politesse de l'égocentrisme : je rends signifiantes les queues de poires que sont les atomes de ma vie. Je réagence, j'édulcore, je prends des raccourcis, je fais des raccords, je retouche, c'est de l'art. Je corrige la réalité, je la peigne, je rends l'inextricable complexité de ma vie accessible au profane par la magie des mots. Je ne fais rien de mal, franchement. Je mets seulement un peu d'ordre dans l'infini capharnaüm de l'existence, et tant qu'à faire je rafraîchis les peintures, je rehausse les couleurs. On ne trompe pas le monde parce qu'on retape sa baraque avant de pendre la crémaillère, que je sache. En l'occurrence, ce midi je me contente d'alléger ma grande salade de tout lien logique, et cherchez toujours le bobard.

OK, Gaëlle ne veut pas être ma copine, mais plus d'un observateur s'y est trompé, à commencer par moi-même. Ce ne serait pas le truc à lui dire, parce qu'elle serait capable de me confisquer mes friandises du vendredi soir, mais si on prend notre arrangement pour ce qu'il est, à savoir une baudruche gonflée de baratin purement protocolaire, la ressemblance de notre relation avec une relation amoureuse devient confondante.

OK, Gaëlle n'est rentrée à Lille que vendredi soir, mais j'ai simplement dit *ce week-end*, je n'ai pas spécifié le jour et l'heure.

OK, elle n'est pas rentrée *pour* mon anniversaire, mais les faits concordent : c'est à moi qu'elle a consacré son vendredi soir lillois, le week-end de mon anniversaire, or il s'avère qu'aucun cadeau ne pouvait plus me combler que ce traitement de faveur. Donc elle n'est pas rentrée *parce qu'*elle s'est rappelé mon anniversaire etc., OK, je n'ai jamais prétendu le contraire ; l'omission d'une conjonction ne fait pas un mensonge tout de même, on ne va pas chipoter sur les mots.

Si je comprends bien, résume maman de cette voix froide qui m'a toujours tiré des frémissements tout au long de la colonne vertébrale, de cette voix à laquelle je préférerais des cris, *tu m'annonces que tu seras la seule absente, que tu ne viendras pas à ton propre anniversaire, pour une fille que tu auras sans doute oubliée aussi vite que les précédentes ? C'est bien ça ?*

Ne pas mordre. Quand Céline t'a dit que d'ici un mois Gaëlle et toi vous seriez déjà perdues de vue tu n'as pas mordu, alors qu'elle n'est même pas ta mère; tu as préféré répondre par le mépris. Aussi ne mords pas ta propre mère. Pousse le fair-play jusqu'à mettre en balance la part de mauvaise foi qui gangrène à peu près tous tes actes et paroles, avec la légitimité du courroux maternel. Cool, Fanny Carbonara, sois cool.

— Voilà, je réponds, peut-être un peu trop cool pour le coup.

Jamais je n'aurais imaginé qu'un jour maman me raccrocherait au nez.

XIV - S'IL FALLAIT CROIRE TOUT CE QUE JE DIS

(Martini rouge)

Il y a deux mois je regardais comme maintenant Céline préparer des amuse-gueules ; elle y mettait tant de sérieux et de concentration que j'avais ri, et elle avait feint d'être vexée. Moi aussi je faisais ma petite cuisine ce soir-là, dans un carnet, du bout du Bic. On écoutait Lauryn Hill comme ce midi, dans ces mêmes quinze mètres carrés, chacune à son œuvre et on se disait parfois, *quel couple idéal,* genre *la cérébrale et la manuelle, on se complète tellement qu'on durera jusqu'au bout de la vie.* Une sportive qui connaissait toutes les séries télé et qui n'avait pas un bouquin chez elle, qui aimait par-dessus tout faire la fête avec ses nombreux amis et dont la seule ambition était son petit bonheur sans remous, qui travaillait à la SNCF et dont l'entourage ne comportait aucun étudiant, cette fille était faite pour moi, sur mesure. En plus elle était belle, excitante, et son corps et son haleine avaient constamment un parfum de fièvre qui donnait l'impression qu'elle allait me fondre dans la bouche, et dans la main aussi, mieux qu'un Treets.

Et non, encore raté pour le bout de la vie, il faudrait remettre le pouce en batterie. Mon Dieu, n'existe-t-il vraiment aucune fille qui roule vers la même destination que moi, et qui pourrait m'emmener jusqu'au terminus ? Ras le cul des bas-côtés, des bandes d'arrêt d'urgence.

— T'écris pas, aujourd'hui ?

Céline gratte les pépins d'un melon à la petite cuillère ; l'alcool s'y prend un peu pareil avec ma cervelle : il vire mes neurones dans une soucoupe, et aucun espoir de retour pour les pauvres petits. Je frissonne à l'idée que je suis une victime au même titre que les pépins de melon et de tomate. Céline va-t-elle écraser ce melon à coups de marteau ?

— Hein ? T'écris pas comme la dernière fois ?

— J'attends l'intervention d'Amnesty International pour entreprendre quoi que ce soit, je réponds, et comme Céline me jette un regard suspicieux je précise : qu'ils endiguent le génocide de mes neurones.

— Ha ! elle s'esclaffe. Pas ce midi, en tout cas. À ta vingt-sixième année !

Nous trinquons. Le Martini est tiède, sans glaçons ni citron ; j'aime vraiment ce goût un peu épicé, comme j'aime le chocolat au lait et les cacahuètes grillées, jusqu'à la voracité la plus indécente ; je les consomme en quatrième vitesse, à croire que la rapidité permettrait à la quantité ingurgitée de passer ni vu ni connu aux yeux de mon organisme, comme on passe à deux, serrés, le portillon du métro parisien avec un seul ticket. Je tire sur ma cigarette et j'avale une gorgée de Martini en alternance comme on joue au ping-pong contre un mur quand on est mauvais perdant, je rallonge mon verre pour accompagner la fin de ma cigarette, je rallume une cigarette pour finir mon verre, je rallonge, je rallume; je m'arrête quand la bouteille et le paquet de cigarettes en ont décidé. Je suis d'une nature avide. Quand j'aime, je ne prends pas le temps de savourer, j'engloutis. Pareil avec les filles. Quand je tombe amoureuse je me mets à griller les étapes, je ne contiens pas plus d'une semaine les *toujours* qui me piaffent sur le bout de la langue, et en me faisant violence encore. Et la pauvre, je n'ai jamais assez d'elle, de son amour, de son corps, pour un peu je sombrerais dans le cannibalisme. Peut-être pour ça que j'en arrive si vite à l'indigestion, à l'écœurement, au *Non merci, c'était exquis mais je ne peux plus.* Je suis une indécrottable boulimique. Même pendant ma phase d'anorexie, j'étais boulimique de maigreur, l'heure des repas ne rappliquait pas assez vite pour me donner la satisfaction de les sauter à pieds joints, les kilos ne dégageaient pas assez vite du cadran de la balance, mes os ne saillaient jamais assez sous ma peau, j'aurais pu faire de la liposuccion pour accélérer le processus, pour qu'il ait atteint son terme avant de s'être déroulé. Je ne me ménageais pas plus que mon aspirateur. Trop de nerfs, je crois bien. Toute ma vie, je n'ai cessé de gémir qu'il me faudrait des journées de quarante-huit heures pour venir à bout de tout ce que je dois et voudrais faire, mais depuis que j'ai rencontré Céline et sa constellation Dépouille, il me faudrait des journées de cinquante heures, le supplément de deux heures étant consacré à l'absorption de l'apéro, une activité à part entière réclamant autant d'application que le modélisme ; on boit et on fume méthodiquement, comme on construit une cathédrale en allumettes sauf que c'est nettement plus drôle.

— Doucement, me lance Céline en embrochant un accordéon de jambon rouge sur un cure-dents, tu as déjà deux verres d'avance sur moi.

— Ce que tu peux être coincée, pour quelqu'un qui se la joue apéro en bonne et due forme. J'en connais qui font moins d'esbroufe et qui ne trouvent pas tant à redire quand j'exploite mon savoir-faire authentique. Des qui m'aiment comme j'écluse.

— Tiens donc. Et qui sont ces hybrides d'humilité et de compréhension ?

Le jambon de Parme se presse contre le melon, rouge contre orange, tendre contre coriace, un vrai couple.

— Très drôle, j'esquive.

— Tu veux parler de Gaëlle ? s'écrie Céline. Alors vous êtes ensemble, en vérité ?

— C'est ce qu'il semblerait, non ? On n'a pas exactement des rapports de sœurs.

— Pas vraiment, non, mais je croyais qu'on était censé ne pas en tirer de conclusions.

Je souris malicieusement, en tout cas c'est l'impression que me donnent mes muscles faciaux — vrai que je l'ai prétendu, mais s'il fallait croire tout ce que je dis…

— Donc vous êtes ensemble.

Je ne réponds pas, j'allume une cigarette.

— Et Gaëlle est au courant ?

— Elle a l'air schizo, peut-être ?

Avec quelle socratique habileté je fais accéder autrui à la vérité sur ma relation avec Gaëlle, incroyable. Pas besoin de démonstration, de déclaration officielle, il suffit d'un bout de dialectique main dans la main pour mener l'ignorant à la lumineuse évidence : l'objet de notre dialogue ressemble plus à un couple qu'à une fraise des bois. Je n'ai même pas à mentir, quel luxe, je peux me contenter d'introduire la logique dans la sphère des sentiments pour me sentir en accord avec ce que je vis. Après tout il y a deux protagonistes dans cette histoire, et donc deux perceptions des faits, la mienne plus propre à rallier les témoins que celle de Gaëlle ; je ne l'oblige pas à se faire une raison, à regarder en face la réalité toute crue si elle n'est pas prête à l'assumer, mais de son côté elle ne peut pas me reprocher ma lucidité, ma logique, mon honnêteté. Déjà que je lui passe princièrement la coquetterie de la mauvaise foi. Les faits hurlent ; je ne les bâillonnerai pas comme le fait Gaëlle, je leur prêterai une oreille compatissante.

Je mange le jambon rouge et le melon orange en même temps. Je ne vois pas pourquoi Céline a pris la peine de les agglutiner sur le même cure-dents si c'est pour ensuite les en détacher séparément, à moins qu'elle ne cherche à estimer combien chacun, jambon et melon, a vicié la saveur originelle de l'autre à son simple contact. Vieilles amertumes. Ce ne sont pourtant que du jambon et du melon. D'ailleurs une gorgée de Martini vous balaye tout ça des papilles en un revers de main, à se demander l'intérêt de grignoter snob, ton sur ton, *très chère*. Les cacahuètes font moins de manières.

Maman m'a raccroché au nez. Elle m'a reniée. J'ai intérêt à rentrer avant le coup de fil de Gaëlle si je ne veux pas être reniée et répudiée le même jour. Oh Gaëlle ne m'a jamais fait de crise de jalousie, mais si je lui en donnais l'occasion, Dieu sait jusqu'où elle pourrait aller. Ne pas se fier à sa froideur envers moi, elle cache sans doute une extrême vigilance. Tous les serpents ne sonnent pas avant de fondre sur leur proie, certains s'enroulent très discrètement autour de vous, et avant que vous ayez rien senti venir ils vous étouffent, ils vous séquestrent. Comme le corset étouffe l'obèse. Comme le jambon séquestre l'endive. Comme Proust. Tout semble indiquer que Gaëlle aussi est de cette race. Mine de rien, elle me surveille, elle m'encercle, elle n'hésiterait pas à me réduire les os en bouillie dans une étreinte mortelle si je m'exposais à ce qu'elle se sente bafouée.

Tu n'as pas de cacahuètes ? Non, laisse tomber, c'est pas grave. De toute façon je digère mieux les liquides. Je m'en fous.

Bien sûr on est dégoûtées que Gaëlle ait dû partir, mais bon, d'une part elle s'était engagée à faire ce boulot depuis longtemps, il n'y avait pas à revenir là-dessus, et d'autre part il est toujours bon de mettre ses sentiments à l'épreuve de l'espace-temps.

— Tu ne voudrais pas parler d'autre chose ?

On se respecte trop, on tient trop l'une à l'autre pour risquer de se tromper et de gâcher notre relation. C'est le problème quand on part de la case amitié.

— Terrible, approuve Céline, mais si tu pouvais réserver ton déballage à quelqu'un d'autre, ça devient lourd.

On se cherche comme des enfants avec des torches en vrai feu dans une forêt de sucre candi.

— Tu devrais prendre un amuse-gueule.

Jamais on ne vivra *Strangers in the night*, c'est clair, mais on se sent si bien ensemble qu'on n'est même pas frustrées. Rien à foutre. Dans la famille Petits Cochons, on a choisi la brique. Sans doute que ça fait vieux con, mais on ne rigole pas avec l'amour comme on rigole avec la santé ou le travail, il y a des rubriques de l'horoscope dans lesquelles on essaie de comprendre les conjonctions astrales au lieu de ricaner, plein de sa suffisance hargneuse.

— Je peux aussi sortir acheter des cacahuètes. J'en aurais pour deux minutes à vélo.

On ne peut pas tout miser sur les astres. Il faut mettre du beurre dans ses astres.

— Grillées, salées, comme tu les aimes.

Même grillés, salés, faut y mettre du beurre. Pas déconner avec Gaëlle, les astres te tirent pas au sort plusieurs fois de suite pour la super cagnotte.

— Commence par ne pas refaire les mêmes erreurs qu'avec moi, préconise Céline.

— Ha, ça soulage sans doute ton ego de penser que je m'y prends comme un pied. Mais frotte-toi contre une planche à pain un de ces jours et vois si t'arrives à produire des étincelles.

— Qu'est-ce que tu as dit ?

— Planche à pain.

— Dehors.

— Les bouteilles sont pas encore vides, planche à pain.

— De-hors.

— C'est bon, fais pas ton offensée. Ton offusquée.

— Si d'ici trente secondes tu ne t'es pas effacée de ma déco par tes propres moyens, je te promets que je vais m'en charger. Je vais t'y conduire, moi, dehors.

Mon coccyx est douloureux mais il s'en remettra, et d'ailleurs je m'en fous.

XV - CE QUE JE DONNERAI À LA MÉNOPAUSE

(La même chose)

La bouteille de Martini est à soixante-cinq francs le dimanche ; presque deux heures de téléprospection. Je me contenterai de Septante Cinq, pour une fois, à peine une heure de téléphone et quand même sept degrés cinq, pas si mal pour une bière et en plus elle est rousse, comme la résine naturelle des systèmes de filtration que je vends. Elle retiendra toutes les saletés de mon organisme, toute la chapelure des cacahuètes grillées — ça qui fait grossir, la chapelure, ce truc poudreux qui se dépose au fond du paquet quand on le laisse reposer une nuit au frigo pour se donner l'illusion de manger des cacahuètes pures à zéro pour cent de matière grasse. Je vais m'offrir un apéro en solitaire, puisque mon entourage a choisi ce jour symbolique pour me planter un couteau dans le dos, me renier, m'expulser, m'excommunier de toute part, par raffinement de malveillance. Je vais m'offrir une vraie fête en mon propre honneur, je serai la reine, je choisirai les disques, j'ouvrirai la danse et je la fermerai aussi, je me verserai une bière en inclinant élégamment le verre pour que ça mousse au poil et pas plus, je me tendrai du feu, s'il reste une soucoupe dans le placard vide j'y verserai les cacahuètes et je me la tendrai aussi, et je me dirai merci très gracieusement, avec mon sourire le plus radieux — pas un sourire poli, un authentique sourire chaleureux. Je serai aux petits soins. J'aurai la fête que je mérite, comme tout être humain qui n'a jamais nui qu'à soi-même.

— Ce qui nous fait vingt francs.

Traduction : moins d'une heure dans ce foutu poulailler où je m'assume, à caqueter calcaire, chlore et nitrates.

— Merde, je m'emporte, maintenant que je gagne ma vie je peux bien la dépenser comme bon me semble, surtout le jour de mon anniversaire. Mettez-moi plutôt une bouteille de Martini rouge.

— C'est votre anniversaire aujourd'hui ? se réjouit l'épicier en attrapant mon futur apéro sur un rayonnage élevé au-delà du niveau moyen des faucheurs. Et ça vous fait quel âge ?

— Vingt ans, je mens, mais ce mensonge ne porte pas à conséquence puisque la plupart des gens me donnent effectivement vingt ans, à un âge où la peau et les bourrelets commencent à titiller la coquetterie.

— Le bel âge, commente l'épicier sans la moindre nécessité. Les cacahuètes, c'est pour moi.

— Pas la peine, je rétorque sèchement. Je n'ai besoin de personne pour me sentir entourée, besoin d'aucune pitié, et si je peux me payer une bouteille de vrai Martini au tarif dimanche-mal-planifié, croyez bien que je peux aussi me payer les cacahuètes.

— Oh-oh, tout doux, s'esclaffe ce crétin. Est-ce qu'il me prend pour une jument réglée avec deux semaines d'avance ?

— Je vous paye suffisamment cher pour me permettre de le faire sans douceur, je réponds froidement, et si possible en paix.

— Faut pas demander ce que vous donnerez à la ménopause, dit ce crétin.

Et encore, t'as pas vu mon foie.

— Il y aura au moins une constante, je réplique, c'est que ça ne vous regardera pas plus qu'aujourd'hui, ce que je donnerai. J'ai signé aucune reconnaissance de dette envers vous à ma naissance, que je sache.

— Vraiment désagréable, estime ce crétin comme si onze autres jurés attendaient derrière son comptoir de se prononcer à leur tour.

— Et je peux faire nettement pire, je plaide.

« Mauvais anniversaire ! » crie la voix de l'épicier quand je pose le deuxième pied sur son trottoir. Je hoche la tête en me marrant — quelle force, quand on y pense, je suis inébranlable. Tout juste si mes yeux picotent, si ma gorge se noue. Je suis forte et indépendante, sous mes vingt-cinq ans de croûte, mon palimpseste de merde, top blindage, rien que du naturel. Je suis shock-proof. Je m'en tamponne, voilà mon secret.

Je m'installe dans ce qui fut la chambre, la pièce la moins éclairée de cet appartement que je quitterai dans trois jours. Si peu de luminosité que je dois allumer l'ampoule nue, et que je peux oublier l'air d'été qui traîne encore dans les rues, de l'autre côté du verre brouillé, oublier que je pourrais ne pas être en train de picoler toute seule, comme tous les gens qui profitent des dernières prolongations accordées par l'été. Je pourrais. Mais faire quoi ? avec qui ? Je pourrais si — quoi ? Qu'est-ce qui cloche à ce point chez moi ? D'où sort ce *si*, il m'a poussé dessus en douce comme un ulcère ; je me réveille le soir de mon anniversaire avec un ulcère comme un œuf d'autruche dans la gorge, et je n'ai même pas envie de pleurer. Je sais que j'aurais des raisons pour pleurer mais je me forcerais en vain ; je n'ai pas envie.

Et puis quoi, je ne suis pas une malade incurable, je n'ai atteint aucun fond, aucun stade critique : pourquoi je devrais me sentir mal ? Voilà que le regard des autres déteint sur moi à présent ? Pitié, colère, réprobation, incompréhension, que de la merde en berlingot. Secoue-toi Carbonara, nom de Dieu. Moi du moins je sais qu'il n'y a rien à comprendre, rien à juger. Tout se vaut. Je pourrais une infinité de choses avec une infinité de X, mais je suis là et je bois seule parce que je suis là à boire seule et il n'y a rien de plus à comprendre, aucun sens à tout ça, pas plus qu'au reste et ça m'est égal comme le trou de la sécu. Si je l'examine, cette conscience, sans l'éclairage trompeur des yeux qui ne me sont rien, je n'y vois que la plénitude d'une connerie gagnée à la sueur de ma volonté. J'ai assez pensé pendant vingt-quatre ans et demi pour en être dispensée à vie désormais. J'ai gagné le droit de me sentir bien malgré ma solitude et l'hostilité que j'inspire, le droit à mon inébranlable indépendance.

Par terre, sur le lino sans minous, la photo de Gaëlle, un pot de craies grasses, un tas de feuilles blanches, un appareil à musique, une pile de cassettes à défier le haricot magique, une bouteille de Martini, des cacahuètes grillées, un paquet de Lucky Strike, il ne me faut rien de plus. Je dessine des palmiers, des cactus candélabres mexicains, des danseurs en plein mambo, je fume une cigarette en vidant un verre, je change de cassette, je danse le temps d'une chanson, j'aime entendre résonner mes pas à travers le vide, du plancher aux murs (je n'ai pas tâté le pouls du plafond.) La porte de la salle de bains à droite est fermée, et à gauche, vu du bas, le petit escalier qui mène au reste de l'appartement me fait l'effet d'un garde-fou pour hamster survolté ; je suis en cage, au nid, je suis dans un parc pour bébé avec mes jouets de mauvaise graine. Je ne ferai pas Saint-Cyr et Seigneur ce que je m'en fous.

Une chose qu'on ne pourra jamais me retirer, c'est mon goût exquis en matière de musique ; pour mon anniversaire je ne passe que les meilleurs morceaux de ma discothèque idéale, les cassettes volent, elles jonchent bientôt le lino comme un jardin d'automne, l'émotion ne doit pas décliner, ni le rythme faiblir, si un instant je n'ai plus la chair de poule la cassette vole et au suivant. Il y a tant de fureur dans l'air que même en écarquillant les yeux tout autour de moi je ne vois ni solitude ni vide d'aucune sorte. D'où vient donc ce vague arrière-goût d'anxiété que le Martini ne parvient pas à noyer ? Je me sens bien, je fais ce qui me plaît et il ne se trouve personne ici pour me juger ni entraver mon plaisir, alors quoi ? Qu'est-ce qui me chatouille la mémoire comme un cheveu sous le T-shirt ? Qu'est-ce que j'ai bien pu faire encore quand j'étais sobre ?

Téléphone. Cette fois je n'éprouve aucune angoisse, je saute la barrière de mon parc en une seule enjambée, et en trois autres j'ai traversé le séjour. Je sais qui m'appelle.

— Gaëlle ? couine ma voix avinée.

— Tu avais deviné que c'était moi ? rigole Gaëlle, sa voix à elle douce et claire comme si elle se tenait juste derrière moi et qu'elle me parlait à l'oreille.

— L'amour, je déclare pompeusement, c'est comme une télépathie.

— Ah, elle répond ; elle semble embarrassée. Il était surtout prévu que j'appelle, elle reprend avec à nouveau sa gaieté douce et calme. Bon anniversaire.

— Merci, je pouffe en oscillant sur des genoux modestes, le menton sur le thorax.

— C'en est un, au moins ? Un bon anniversaire ?

— Oh oui, j'estime avec circonspection, puisque tu as appelé.

— Et à part ça ?

Elle se racle la gorge et elle glousse à toutes ses phrases, pourquoi elle joue la timide ? Est-ce que par hasard elle ne m'aimerait plus ?

— *À part ça ?* Tu veux dire qu'il existe un monde hors de toi ? je roucoule.

— Arrête, Fanny, quoi... Qu'est-ce qui te prend ? Tu as l'alcool triste ?

— Parce que j'ai l'air triste ? Et d'abord, qu'est-ce qui te fait croire que j'ai bu ?

— Hé ! elle se marre. Sacrée Fanny, tu devrais te ménager un peu de temps en temps.

— Me parle pas sur ce ton, je me mets à pleurnicher, on dirait que tu m'aimes plus. [...] Ben dis quelque chose, je panique. Allô ?... Allô ?

— Oui, soupire une voix distraite, comme si j'avais tiré Gaëlle d'une rêverie. Euh... Pfff, elle soupire encore. Qu'est-ce que tu entends par *aimer* ?

— C'est pourtant pas du langage super soutenu, je boude, sois pas si analytique.

— Je veux dire, quel genre d'amour je suis censée te porter ?

— Écoute, je me lance (plus rien ne m'arrête, j'aurais dû m'en tenir à la Septante Cinq), c'est plus la peine de couper les cheveux en quatre, je ne suis pas complètement abrutie et jusqu'à nouvel informé j'ai pas loin de dix sur dix aux deux yeux. Si tu partages ces atouts, tu dois le savoir aussi bien que moi, et que tous les gens autour de nous. Franchement ?

— Savoir quoi ?

Je sens une pointe de nervosité dans sa voix. Elle doit se sentir acculée à l'aveu.

— Quelle sorte d'amour tu me portes, andouille.

Je lui tends cette perche sur le ton de l'indulgence amusée, *ne fais pas l'enfant* ; je ne décrète rien ni ne fais étalage de ma clairvoyance, pour lui laisser le plaisir de se déclarer par elle-même, cette douloureuse mais si délectable abdication de toute pudeur. Petite coquine, va. Voilà qu'elle a perdu sa langue.

— Mais.

Sans voix, vous dis-je. Avoue que je t'ai bien attrapée, à ton petit jeu de cachotteries. Finis les secrets de collégienne, l'heure est venue de laisser parler la femme en toi, d'assumer tes sentiments et tes désirs.

— Enfin Fanny, tu pètes un câble ?

— Ah non, je râle impatientée, je t'en prie, plus de dérobades.

— Tu vas trop loin, cette fois. Excuse-moi, c'est pas très cool de t'annoncer ça le jour de ton anniversaire mais je pense sincèrement qu'il vaudrait mieux pour toutes les deux qu'on prenne nos distances quelque temps.

— Pardon ?

— Quand tu te seras détachée de moi on pourra en reparler, ou plutôt non, on pourra passer à autre chose. Si tu veux qu'on continue à être amies, je serai ravie, sinon tant pis, mais tant que tu n'auras pas changé de dispositions envers moi, on en reste là.

— C'est-à-dire ?

Je me gratte le front mais aucune lueur ne se fait en moi.

— Ne m'appelle plus, ne m'écris plus, change d'air, rencontre d'autres personnes, enfin reprends-toi, mais pour le moment ne m'inclus pas dans ta vie, OK ?

— Mais, je proteste.

— Allez, je te laisse.

— Mais…

— Salut.

XVI - SEIGNEUR, TOUTES CES PRUNES
(Jus d'orange, et puis merde)

Le jus d'orange me pique la langue, j'ai vraiment trop fumé. L'alcool évite ce genre de désagréments, sur le coup, comme une vaseline pour nicotine, mais il n'y a jamais rien d'alcoolisé chez Florence à part son Lolita Lempika et au fond tant mieux parce que j'aurais à coup sûr continué sur ma lancée, uniquement par principe, sans plaisir ni conviction, quelle tristesse. Après m'avoir retirée de sous la douche, Florence m'a ouvert son frigo comme la carte du chef, je l'ai boudé mais elle a insisté.

— Vaut mieux que tu éponges, elle disait.

— Ces derniers temps j'ai du mal à m'endormir quand je suis à jeun, j'ai protesté.

— Si tu as su apprendre à dormir sur le dos, tu peux aussi bien apprendre à dormir sobre.

Touché. Pendant plus de vingt ans j'ai dormi dans la position du fœtus ; si au cours d'un rêve agité je venais à basculer sur le dos, je me réveillais aussitôt avec des boules de nerfs dans tous les creux du corps, des aisselles à la plante des pieds, jusqu'au jour où j'ai imaginé quel serait mon désarroi si je me cassais toutes les jambes et que je me retrouvais hospitalisée avec les plâtres sanglés en l'air et pas moyen de me recroqueviller sous les draps comme dans un utérus. De quoi devenir insomniaque, voire cinglé, sans doute même les deux. La nuit de cette révélation, j'ai pris ma première leçon de sommeil dorsal. Douloureuse mais nécessaire, sait-on jamais ce qui attend nos jambes ? Dormir sobre, oui, pourquoi pas ? À l'hôpital, plâtres ou pas, on est bordé par Contrex, qui ne lit pas d'histoire, ne jette pas de sable doré plein les yeux ; Contrex vous borde et ensuite démerdez-vous. Service minimum.

L'odeur de pizza s'enfile le toboggan de mes narines pour plonger plus profond dans mon estomac, elle le creuse avec une frime frétillante de plongeur olympique et une prédilection pour les figures vrillées. *Faim.*

— Oui, ça vient. Plus que cinq minutes et elle sera toute croustillante.

Je ne m'étais pas rendu compte à quel point j'avais faim avant l'odeur de la pizza ; je ne sais pas depuis combien de temps ça dure mais là mon cœur en chope des ratés à me flanquer des suées. Tiens bon, petit, on va réparer ça.

— J'aime bien la pizza molle, Florence, je dis.

— Dis donc, quand ça te prend…

Florence s'occupe de moi en mère poule. À cause de son caractère exécrable elle a très peu d'amis, mais alors ceux-là elle les bichonne comme des plantes en serre. Quand j'ai sonné à sa porte elle a joué la surprise. *Ben je pensais que tu ne voudrais plus jamais me voir une fois qu'on aurait chacune notre appartement ?* Bien sûr je l'ai souvent prétendu sous le coup de la colère, mais quand la conscience est en panne, les pieds nous mènent aux amis avec la résolution d'un cheval qui rapatrie un cow-boy troué. Chaque fois que je vais mal, Florence me serre dans ses bras, très fort et très vite, puis elle me frictionne les épaules avec une vigueur et un sourire timides, enfin elle me colle un bisou expéditif sur le front comme on met un point à une phrase ; cela fait, elle redevient plus pudique qu'une jeune vierge de péplum, et elle me fait de la pizza.

— Un café ?

J'acquiesce. Je n'ai pas précisément envie d'un café mais ce sera tellement rassurant de fourrer les narines dans les chaudes volutes de fumée parfumée, comme un retour dans un lieu familier après une longue absence délibérée. Soudain il me semble que je n'ai brûlé ce week-end que pour m'offrir ce genre de convalescence au soir de mon vingt-cinquième anniversaire, une cure de tendresse et de petits soins ; voilà que je me sens d'humeur à dorloter mon corps comme un bibelot en vrai cristal. Bien que tous mes démons intérieurs se révoltent à cette idée, j'ai envie de me calmer, d'apprendre à marcher sans la béquille de l'alcool, à aimer sans l'édulcorant de l'alcool, à baiser sans l'aphrodisiaque de l'alcool, à dormir sans la matraque de l'alcool, à me nourrir de trucs solides et tout et tout. Apprécier à nouveau le goût de la tomate salée, la texture pâteuse de la garniture de pizza, sans cette impression que je vais y laisser toutes les dents d'un coup, trente-deux dents plantées dans la bouillie comme dans un Carambar vieux de quinze ans à cause de gencives en décomposition précoce ; ça me tente bien. J'ai toute une convalescence pour envisager la rééducation au b.a.-ba animal — et peut-être que l'humain suivrait, que mes glandes sentimentales désengorgées ne s'enrayeraient plus. Y a des culs de démons intérieurs qui en grillent d'avance.

Je suis en jogging, je baigne dans le molleton, les cheveux encore humides enturbannés au sommet de mon crâne dans l'éponge la plus moelleuse, assise à la table d'une grande cuisine avec les bras croisés sur une toile cirée à carreaux rouges et blancs, le nez dans la fumée d'un café très corsé très sucré, un quart de pizza dans le ventre comme une pile qui irradierait une douce chaleur tous azimuts dans mon sang de grenouille, et je me dis que je passerais bien à autre chose, que j'ouvrirais bien un nouveau chapitre ; pas tant pour des raisons morales que par goût du changement, d'ailleurs. Je reconnais aussi que j'en suis arrivée au point où je ne profite plus de ce que je vis : je le flambe. Je serais foutue de brûler mon visa pour le paradis sans ciller, je vous jure, et le lendemain devant le fait accompli je me dirais *Et zut*.

— T'es complètement effondrée, suppute Florence, tellement sûre de sa clairvoyance qu'elle pourrait aussi bien poursuivre *ou c'est juste une déformation de naissance ?* mais non, elle ne le fait pas. Je gonfle les joues, je secoue la tête, mais j'ai beau me fouiller.

— Même pas mal, je la détrompe.

— Tu veux dire que tu bousilles tout comme ça pour des prunes ?

— Non, justement, pendant que je bousille j'oublie qu'au repos il n'y a que des prunes. Je trompe la faim que les prunes ne peuvent pas soulager. Je crois que je flambe tout pour ne pas me laisser le temps d'apercevoir ma véritable condition, sinon je ferais comme toi, je déprimerais dans mon coin, désabusée, dégoûtée de tout. Je sais, tu vois, mais je danse avec une furie de Blues Brother sur ma lucidité, sur ce sale tapis de prunes pourries, et la plupart du temps je parviens à me sentir pleinement heureuse, malgré les prunes qui montent et qui montent comme l'eau glacée dans le *Titanic*, j'en ai jusque sous le menton mais je fais comme si de rien n'était, et le jour où je boirai la tasse au moins ce sera la bonne, la première et la dernière, juste un sale quart d'heure à passer avant de rejoindre Dieu en ligne directe et une fois à bon port, qu'est-ce que je m'en foutrai, de toutes ces prunes. Et c'est ça, je m'emporte, c'est *elles* que je devrais préserver ? Si encore l'amour durait, je dis pas…

Du coup, me voilà à nouveau remontée comme un Kinder à friction ; exaltée par mon propre discours, mais alors sur mes grands chevaux sauvages, faut voir.

Florence reste impassible — comme si elle était hermétique à ma philosophie, on ne me la fait pas. Elle contient ses sanglots, ne se signe pas ni ne tombe à genoux pour implorer le pardon divin, ne noue pas ses lacets autour de son cou, ne s'enfouit pas le visage dans les mains comme un cochon à dénicher les truffes, elle n'appelle pas sa mère, elle ne révulse pas les yeux, ne récite pas Cioran à l'envers et en latin s'il vous plaît.

— En tout cas, moi, je prendrais bien un verre, dit-elle stoïquement en ouvrant le frigo (incroyable avec quelle conviction elle feint la désinvolture). Tu m'as donné envie, elle en rajoute. Je t'en verse un petit ? Pour une fois qu'il y a une bouteille chez moi…

Et quelle bouteille. Ce port altier, ces lignes élégantes, sans fioritures, ce rouge si rouge.

— OK, je réponds, avec toujours la décision péremptoire d'un général sudiste à son dernier *Chargez !* Je vais vous montrer qui a le dessus, moi.

TABLE DES MATIÈRES

Achevé d'imprimer sur les presses de

BUSSIÈRE

GROUPE CPI

à Saint-Amand-Montrond (Cher)
en décembre 2002

POCKET - 12, avenue d'Italie - 75627 Paris Cedex 13
Tél. : 01-44-16-05-00

— N° d'imp. 26719. —
Dépôt légal : avril 2002.

Imprimé en France